3 0600 00281 3252

EL VISIONARIO

NUEVA NARRATIVA HISPÁNICA

JOAQUÍN MORTIZ • MÉXICO

EMILIO SOSA LÓPEZ

El visionario

Primera edición, septiembre de 1978

Tabasco 106, México 7, D. F.
ISBN 968-27-0034-5

PRIMERA PARTE

LAS ISLAS DISPERSAS

I

—¿Cómo podría? —se preguntó en medio de la prevención. Acababa de bajar a la playa huyendo despavorido. A sus pies un mar lúgubre y quieto apenas movía sus pesadas aguas macilentas, irisadas de fosforescencias y cubiertas de rostros difuntos. Sus perseguidores parecían haber desaparecido. ¿O se habían replegado, agazapándose detrás de las dunas? Sentía que hilos sutiles me envolvían y me atraían hacia una serpiente gigantesca que, enfurecida, se retorcía allá abajo, entre las ondas. Pero el héroe aún seguía luchando. Un embrión. ¡Oh!

Se irguió. ¿Quién? El detector (¡tan surrealista!) se sonreía. Es decir, se sonreía detrás de su máscara tumefacta, seria, bestial. Se dijo a sí mismo, deductivamente, que su último impulso correspondía ya, de un modo perfecto, a la "función de lo real". ¿O no había aprendido todavía a distinguir entre la introversión y regresión de su energía psíquica y la esquizofrenia misma? (¡Oh, *formes sonores de l'angélus de mes yeux*!) Su cabeza parecía tener dos grandes alas. De dolor, sí, de dolor, como que no podía, en su afiebrado vuelo, reconocer donde se posaba al fin su despertar. La pieza revuelta, con su ropa tirada a ambos lados, no era suficiente indicio de realidad.

Faltaba espacio. Y para colmo esa raída y fantasmal cortina, oscilando (como si el barco fuera a naufragar). ¿Garantizaba algún lugar acaso la ubicuidad de la ventana? ¿Dónde estaba? ¿Roma todavía? Se irguió para volver a caer otra vez de espaldas sobre el duro camastro. Aquel hotelucho de mala muerte tenía, como una palinodia, una oscura pretensión de culpa.

Libido effrenata. Lo sabía, ¡vaya si lo sabía! Intentar mirar el pasado compone por sí mismo el factor desencadenante de la depresión. Lección primera de su astucia de neurótico. O de Eficiente Servidor.

¡Y cómo se reía Zappo de sus ínfulas apotropéyicas! No había más que verlo sacudirse con su risa desaforada. Pero no se trataba esta vez de huir. Después de todo, el peso enorme de su cuerpo se parecía a aquel mar de resacas o a aquellos tenderetes de los Sargazos, donde fucos y algas amortiguaban la luz. Ni siquiera podía espantar sus fantasiosas imágenes con alguna palmeta. Ahora mismo se sumergía en el atezado estuario, levantando su mortaja hasta la frente para secarse el sudor que ya arañaba detrás de las orejas. ¡Valiente muchacho, perdido para siempre!

Por ello había algo amenazador en el despertar mismo, aunque tanta obstinación no fuera más que la *folie du désir.* Cierto, en aquella orilla de lechosa claridad quizá no se sentía más *otro* y sí aquel broncíneo Príapo legendario cuya memoria claustral, llena de dioses fatídicos, convocaba un áspero paraje sobre el mar, con su gruta abierta, resonante y ancestral hueco craneano donde la oscuridad tenía por momentos matices malvas, a medida que uno descendía a su entraña subterránea. Al llegar, la propia angustia refluía en su sagrada cripta, frente a la horrenda lamia del mito, con sus pies extraños, uno de bronce y el otro de estiércol de asno. Una visión perfecta y simbólica del caos de cuyo poder o infernal connubio era un simple embrión de rata. ¡A pasitos, pues, trotoncillo! Con penoso esfuerzo se acodó a un costado de la cama, con la cabeza aún colgante, deseoso de no identificarse a sí mismo. ¿O en qué mitología estaba? ¿No era, acaso, su sucio mundo occidental?

Su enfermedad de los nervios que de pronto liberaba los más aciagos poderes imaginativos y que lo llevó desde temprano a instrumentar su mente (¿científica?) como una verdadera *workhouse* puritana (al punto que le parecía haber vivido en los encierros caritativos del siglo XVIII), volvía ahora a desafiarlo en su trasfondo irrefrenable. Y bien, en este aspecto Zappo no era más ilustre que él. Ni tampoco en cuanto a decisiones. Sólo que en ese instante, aunque más no fuera para replicarle con una voluntad más firme, podría haberse orinado hasta inundar el colchón. Pero prefirió, por el momento, someterse a la pura mortificación de sus principios. Como cuando recibió aquella carta obscena de Lifar, con sello de Plymouth, cuyos giros verbales le hicieron recordar, con humor, a esos postes y argollas de torturas de sus viejas mazmorras reglamentarias. ¿Y qué hacía allí aquel hurón, aparte de indagar hospicios y estudiar los tradicionales sistemas represivos de la locura, en esa ciudad de farándulas militares y fortalezas para relapsos? ¿Es que también él mismo había fracasado? El mundo, en verdad, no parecía ser tan propincuo ni tan diverso como para cohonestar ningún asedio o control del inconsciente. Después de todo, no son tan abundantes las miserias del sexo. Al menos, esto hubiera querido sugerir Bettina con un gesto, creyendo ser, como siempre, la más mordaz.

Los negros zapatones lo aguardaban abajo con sus grandes bocas de muertos. O de batracios. Mirándolos no pudo evitar que su ánimo sobresaltado reprodujera otra vez la misma sensación de impaciencia de la noche anterior, cuando pensaba en todo eso. Al fin de cuentas tenía la sensibilidad (típica de la ociosidad) de responder al menor estímulo externo con la mayor dosis de credulidad, aunque para ello tuviera que ocultar su propia irritación. Conducta de eunuco, en el fondo. O, mejor dicho, un caso extremo de sujeto en estado de disponibilidad perpetua, con su nauseabunda curiosidad *deliberada* o su hipócrita inocencia aun para aprovecharse de la verdad, ya fuera ésta la desordenada furia depresiva de Bettina o la mascarada siempre eufórica de Zappo. O su arrogante pedantería impersonal que le permitía, incluso, ceder a arrepentimientos. ¡Oh Lifar, cuántos despojos para tu conciencia deportiva y mística! Y con qué tristes resultados: haber contribuido más que nadie al lujurioso engaño de Bettina, convertida de repente en ávida cazadora o diosa de los perros a las puertas de su propio infierno. ¡Y él tendido allí como un engendro conspicuamente loco! Un abuso, un abuso, se dijo melancólicamente mientras su mente se erizaba todavía bajo el efecto de esa visión de las aguas de la muerte que al final lo devoraban. Como tantas mujeres desdichadas (o de "frágil fibra", según él mismo reflexionaba por encima de sus nudos internos), Bettina tenía esa tenuidad del desamparo en medio de sus aullidos y manías. Pero lo más injusto o doloroso para él era percibir, en la ya inocultable y creciente aversión de Bettina hacia su persona, que ella al hacerlo impúdicamente partícipe y cómplice de sus conflictos y desenfrenos, sólo quería desembarazarse de él. Con qué entusiasmo podía, pues, leer lo siguiente: "Bettina derrama con su sola presencia esa fuerza antigua y terrible del alma del mundo, como en las viejas doctrinas órficas", como le decía jactanciosamente Lifar, en aquella misma carta, esgrimiendo una pretendida claridad de conciencia que resultaba, de hecho, aún más ultrajante.

Y lo decía además con sarcasmo, como si todavía quisiera vengarse de algo. ¿De qué? ¿De su trastorno diabólico, de su espíritu inconsciente? La hipocresía de la limpidez lo retrotraía de nuevo (y ahora al trasluz de su propia ironía) al tan repulsivo papel de detector de mentiras, su reciente hábito predilecto. Hubiese querido allí mismo, sin más, reírse ferozmente, sólo para romper su máscara de dignidad. ¡Vieja civilización de gestos de escaparates! Pero el retroceder mismo amenazaba con asumir, cosmogónicamente, el rostro demudado de Zappo. ¿O no había sido su proyecto acercarse a un estado próximo al de la muerte para darse nacimiento a sí mismo? ¿Qué otra cosa había sido el estímulo de su criptomnesia?

2

Aquella culpa o antro del terror carecía de andamiajes mentales. Era puro abismo, puro libertinaje. Como que tú mismo solías repetir con Swift que toda religión es, en realidad, una perversión de la sexualidad. Sin embargo, para demostrártelo con coraje (y aún te avergüenzas de ello), fue Bettina quien arrojó frente al Palacio del Vaticano, limpiamente, con un impulso del pie que paralizó a los domesticados catecúmenos, su zapato a una de esas fuentes de bullente claridad, sin advertir en tan penoso asombro que esa otra manera de andar, en adelante, como una paticoja, podía reservar, en el fondo, una alegría sana de la que tú mismo también pudiste haberte regocijado. Pero invariablemente preferías tu línea apolínea de defensa del yo. ¿Era o no tu quijotesa liberadora a la que, por lo mismo, consentías todo con demasiada prontitud, tan sólo para experimentar una vez más (ya enviciado al fin) esa embriaguez insensata de la gratuidad que luego, inmutable, ocultabas detrás de tu pudor ciudadano? ¿Por qué desenterrar entonces la vieja astucia de la razón y remachar los clavos de tu desesperación?

Comprendí tarde lo que podría llamarse la *caída*. Sentados al final en una banqueta mientras la tarde recogía alrededor los resplandores del eterno albedrío de las gentes, Bettina preguntó (como encontrándose a sí misma después de una larga distracción) si aquella ciudad en algo les pertenecía. Como yo callaba porque la misma idea martillaba en mi cabeza viendo los automóviles ir y venir con una prisa de insectos rumorosos, ella sintió la hipnótica sensación de una violencia hastiada. Hubiese deseado que hubiera música en el aire y no aquel aplastante rumor de ámbito apuntalado sobre el mal que parecía resquebrajarse a causa de su estruendo. Sucio y lejano andrajo el cielo para una fe imposible. Y recordé con prontitud.

Recordé que la lamia sólo engendraba hijos muertos, lo cual significaba que la idea de un crimen monstruoso me había llevado, de manera irresistible, a aquella ciudad o escondrijo como a través de un viaje de cautiverio. La civilización es sólo un simulacro de la crueldad, había dicho Zappo, remozado en su indumentaria renacentista, mientras sujetaba de una corta cadena un mastín expectante. La humorada del escarnio continuaba a su alrededor. Mujeres vestidas con ricos encajes y hombres ceñidos hasta la cintura por sus jubones y bandas con espadas se movían lentamente entre los resplandores de un sol que fingía espejos y trazos espectrales en los rostros, al reflejarse iridiscente sobre los mosaicos lustrosos. Delante de los paramentos y balaustradas veíanse las torrecillas y los encofrados de tejas de las casonas vecinas y, más al fondo, entre florestas, el Foro Itálico que relucía a los pies del monte Mario. Lejos, a un costado, se advertía la curva del Tíber. Con tan admirable vista la propia terraza parecía sostenerse en vuelo sobre la huerta de la casa que se extendía, umbrosa, en aquella hondonada.

Se oyeron descorrerse los cerrojos de la puertecilla. De su hueco oscuro salió, semiencorvado, un desgreñado carcelero. Con mano firme y dura tiraba de una cuerda que venía atada al cuello de la víctima. Ésta apareció al instante, trastabillando al salir por la saña con que otro individuo lo empujaba de atrás. Luego surgió el verdugo encapuchado, portando una alabarda y un cepo para ajusticiar. El bufón giboso escupió el rostro del desdichado y con una genuflexión que hizo reír a las mujeres, lo invitó a enfrentar su suplicio. Los nobles se abrieron en círculo para favorecer el espectáculo. Una corneja graznó desde las cornisas de la cúpula y el sonido de un lejano martillo se escuchó en el silencio. Entretanto, muy solemnemente, Zappo se adelantó y haciendo un gesto ceremonioso con la mano, obsequió a la condesa (que miraba la escena con sus ojos muertos y su cara de ojeras y mejillas colgantes) el privilegio de ordenar la ejecución.

Pero ella, en cambio, con voz de lechuza, gritó que se lo dejase por unos instantes solo al condenado contra los barandales de la terraza. Y mandó entonces soltar el mastín. El animal, gruñendo entre dentelladas feroces, acometió ciegamente contra el reo indefenso. Los cuerpos parecían enroscarse en el desenfreno de una lucha tan desigual. Sin embargo, en un supremo esfuerzo, el hombre (ya desgarrado y ensangrentado) consiguió enderezarse y trepar al antepecho de una de las arcadas; la bestia, con implacable furia, saltó de nuevo contra él y ambos cayeron al vacío devolviendo al silencio el horror que a todos paralizaba.

Bettina apenas parecía prestar atención al relato. No obstante, ya al final de los postres, la poseía una angustia dolorosa y llena de asco, sobre todo cuando la condesa Messina (que estaba sentada al lado del embajador, en el extremo de la mesa, reluciente de joyas bajo las luces de ardientes cornucopias) se levantó y alzó su copa para brindar por las glorias y leyendas de su casa de Roma, donde todavía vibraba la historia de aquel remoto adolescente que había vengado en la muerte de su madre, como un Perseo redivivo, el temor de una posesión incestuosa y sacrílega. Lifar había convenido que tal crimen de ningún modo ocultaba la raíz mística de una hierogamia.

—Tal vez una prueba de onanismo presexual —adujo presuntuosamente, gustando como siempre oírse a sí mismo.

3

Zappo practicaba con sarcasmo el arte de la *sublimatio*. Sus experiencias de autoluminiscencia le permitían alcanzar, voluntariamente, un estado de peligrosa indolencia, en el que refulgían sus ojos vidriosos como invadidos por extrañas fantasmagorías. En tales trances sus rasgos faciales se distendían y endurecían hasta formar una máscara que, como él decía, se asemejaba a la de la propia Esfinge. Se le aflautaba aún más su voz chillona y sacaba a relucir entonces su tema de la serpiente que emascula. Como ejemplo mostraba, en un rincón de la sala y en una hornacina que si no se la iluminaba antes no podía verse de primera intención, la réplica de una estatuilla de Verona, con la figura de Príapo sonriente mientras señalaba con su dedo una serpiente que muerde su falo.

—Como dice Jung —agregaba—, es el tema de la ruina del mundo.

Y me vino repentinamente a la imaginación, como una alegoría primigenia, la espalda desnuda de Bettina, encorvada como una loba, volviendo el rostro hacia mí. El cuerpo de Lifar yacía como un animal sacrificado. La visión ya era un aberrante signo de mi propia inmortalidad. Y Zappo seguía hablando, ahora de los arcaicos símbolos teriomórficos que descubren vericuetos subterráneos en la conciencia. Y se mofaba señalando que el ritual del autosacrificio es hermoso puesto que lleva a la abnegación y a la comprensión. Oh amante espectral, Cristo del Juicio. Al salir, más allá de medianoche, las calles estaban vacías como un cementerio.

A la mañana siguiente nos reunimos en el Caffetino del Tiépolo, frente a un viejo murallón romano de color de cinabrio, con su espesa enredadera desbordada desde el patio interior. Afuera, la humedad del aire parecía prolongar el color bizarro de las paredes sobre los flancos verdosos de una bruma no disipada todavía. Pero la sensación de que un sol potente ardía en su limpidez por encima de estos flotantes velos de sombra, nos daba una íntima seguridad en el gozo del instante presente. Y, ciertamente, gozo de animalejo astuto que cuenta con su guarida inexpugnable, reflejaba la mirada de Lifar. Pero ni siquiera sonreía. Estaba al acecho.

—El jardín de los dioses es una imagen prehomérica y quien sueña con amasijos de jacintos, lotos o azafranes, sabe que Zeus aún duerme sobre el alto Gárgaro.

Así recitaba Zappo con su rostro desencajado de la mañana. Pero ante nuestro silencio, como quien procura instintivamente sostenerse en el vacío, tomó de pronto la mano de Bettina y agregó:

—Si fueras una ninfa tritónica podrías recuperar tu virginidad con sólo bañarte en la fuente de Canathos.

—¿Y dónde queda eso? —preguntó Lifar, eructando con desprecio irónico.

—Entre tu sensibilidad y sensación no hay sino una fibra irritada —le respondió Zappo haciendo caso omiso a su destemplanza—. Basta con que adquieras el hábito de la agresividad para que te conviertas en un torillo despitorrado. O actúes como un perro castrado.

Y volviéndole la espalda aulló lastimeramente. Su actitud, tan cómica, tenía algo que ver con la imagen que antes había intentado situar como el tema abusivo de aquella mañana de asco mitológico.

—*Puer aeternus* —le había dicho antes—. Eres igual al hijo del monstruoso Gerión. Eres Ostro, el perro famélico de la libido, el que procreó, en incestuosa cópula con su madre Equidna, a la Esfinge. Conozco, pues, toda tu futura descendencia, Cerbero, Escila, Gorgona, el león de Nemea, la Quimera y el águila de Prometeo. Con esto quiero decirte, Lifar, que ladras por cualquier cosa porque tienes los mismos humores y celos de aquella bestial e híbrida madre de híbridos.

Sacó entonces a relucir una teoría terapéutica para combatir esas clases de calenturas mentales. Pues bien, en caso de alucinación aplicar el viejo principio *similia similibus*. Desecar con agua helada las entrañas, la piel, los poros; exudar de los nervios y los huesos la humedad que embota la conciencia; impregnar los músculos, las membranas, de sequedad, a base de un endurecimiento progresivo, de modo que la rigidez aletargue todos los reflejos del enfermo hasta frenar la locura de la imaginación. Esos eran los bautismos de Charenton, ¿no? —añadió con un guiño de complicidad.

—Yo propongo más bien los métodos del pitiatismo. El que cura la locura de otro queda él loco —dijo Lifar, atenuando voluntariamente su vozarrón. Y agregó con aire displicente—: Ocurre que la locura es sólo simulación de la locura. El médico, esto es, el verdadero alienado, actúa allí como un taumaturgo; anuda y desanuda las obsesiones hasta alcanzar él mismo un predominio casi divino sobre su víctima. No es tu caso, Zappo.

Tu desalienación procede de un sistema aberrante: creer que la razón se precave por antífrasis. No, la razón es la locura misma.

—¡Mi sacrosanto Filopátor!— cabeceó Zappo al tiempo que se palmoteaba el vientre con las dos manos.

Pensé que lo que sucedía en palabras sucedía realmente. Una suerte de atomización del yo. Estábamos asediados de personajes que moraban en nuestras conciencias. Y no nos reconocíamos fácilmente. Mirándola a Bettina, visiblemente ausente de tan inicua cháchara, percibí también esa multitudinaria tensión que se anidaba en su ánimo. Qué fantasma de ella irrumpiría en el escenario de nuestros desencuentros, no sabría decirlo. Pálida, en medio de nosotros, parecía una errática sombra a punto de desvanecerse allí mismo. Y fue justamente su tenuidad lo que agudizó aún más en mí esa imagen de terror que ella misma había asumido la tarde anterior, colmándome de angustia, cuando llevada del brazo por la condesa Messina, se asomó al barandal de la alta terraza doméstica de la mansión, en posición audaz y peligrosa como una sonámbula. En su éxtasis balanceó la cabeza y los hombros sobre el vacío, como si verdaderamente quisiera lanzarse al aire y volar. Y hubiera vuelto a gritar ahora con idéntico terror. Pero fue el propio Zappo quien detuvo el impulso inconsciente de Bettina de herirlo con un cuchillo. Bettina todavía forcejeó un instante más, alterando nuestra merienda. Luego se calmó. Imperturbable ante nuestros ojos atónitos, Zappo dijo ensañándose en su reproche:

—Tu cabecita está llena de vapores negros. Debieran aplicarte *Oleum Cephalicum*. O simplemente sarna.

Pero su alusión era más cínica que hiriente. Desdoblaba simplemente su culpa en irrisión, del mismo modo como otras veces solía referir con sorna, como ungüentos o detersorios, sus propios brebajes de fresas, grosellas, higos, naranjas o cerezas, que acostumbraba servir a la hora del crepúsculo. A esas horas, su sirviente draconiano se adelantaba con sus copones labrados, trayendo el crémor satánico de frutas de iniciación que envicia el cerebro y pone en la melancolía de la embriaguez el hambre acuciante del crimen y la desesperación. "¡A menos que hoy bebáis un filtro de Hidra!", había amenazado Zappo, tentándonos. Al poco rato, Lifar se mordía de deseo y con gesto revulsivo sonreía a la condesa que, apartándolos del grupo a él y a Bettina, los condujo por habitaciones atestadas de muebles suntuosos, de madera aromática, hasta un amplio dormitorio de pesados tapices damasquinos y cortinados lúgubres. Los cabellos de Bettina se batían como llamas y en ellos Lifar hundía su cabeza como un animal atrapado en una ciénaga.

Sieh, welch ein zierliches Geschlecht!
Das ist die Magd! Das ist der Knecht!

Yo mismo acabé por reírme. Era como experimentar el placer del miedo. Bettina se levantó de su silla sin traslucir aturdimiento alguno. Y comenzó a danzar, entre las mesas, acompasada tan sólo por golpes de sus manos que marcaban ritmos, pasos, secuencias de una oculta motivación. Reproducía, según los gritos del propio Lifar, el flujo de la energía del mundo. Sus gestos quedaban, por un instante, fijos en la plenitud de su presencia. Y como un chamán volvía a empezar de nuevo, ahora sugiriendo un paisaje de verdes ramas inmóviles, con aguas breves y rumorosas, al detenerse como estaba, con la cabeza inclinada como Narciso, el pelo suelto, caído, y los brazos extendidos hacia el suelo, en actitud de adoración. O con repentino arrebato, por las escalas de una imaginaria luz intensa, encaramábase a lo largo de movimientos reiterados y suaves a un árbol que como el cielo nos parecía inmenso en su esplendor. Todos sabíamos ya que Bettina era nuestra obra viva, una obra excelsa de libertad y piedad, Afrodita y Cristo unidos en un mismo rapto de autoposesión.

—Practica el arte de curarse a sí misma al representar la creación —argüía entusiasta Zappo.

Cuando salimos el sol hería los ojos. Un lejano rumor de automóviles venía desde la Via Flaminia. Pero la calleja por la que regresábamos mantenía, con su brisa húmeda que avivaba la piel, su apacible pereza de suburbio. Flotaba un leve olor a cetina o brea en el aire. El cielo había perdido su color. Lucía rabiosamente como una plancha de metal.

—La condesa es una *voyeuse*. Es un caso de sonambulismo deliberado, capaz de solazarse hasta con el acoplamiento de las ratas —oí muy quedo a mis espaldas en el preciso momento en que creí escuchar (entre el rumor de los árboles de un parque vecino) el silbo de un halcón.

—¿Es el silbo de un halcón? —pregunté deteniéndome un instante.

—No, es el cacareo de un ganso —respondió Zappo, haciéndonos reír a todos.

Luego, en un estado de absoluta inconsciencia (como aquellos sabios surrealistas de Láputa que acumulaban palabras al azar, para más tarde recuperar sólo las frases que tuvieran sentido) avancé silencioso junto a Bettina, mi mujer. Ella intentó alejarse de mi lado. Sentí que ambos pertenecíamos al mito de Ogiges. Una mujer altiva como una ciudad, a la cual llega el héroe solitario, después de sus viajes nocturnos, para beber en su cáliz de oro la misma tentación que arrastra a los pueblos a la degradación y los embriaga con su vino amargo, Jung *teste*.

4

Alguien (Jessup) debió suponer correctamente que Lifar había tomado la costumbre de desconfiar de mí. Jessup olía todo lo malo y, en tal sentido, podía decirse que pertenecía a la raza de los Yahoos. Analosádico, parecía igualmente arrancado de un fragmento folklórico del *De Crepitu Diaboli*. Con intención sardónica solía citar también a Swift: "Los vahos que salen de las letrinas proporcionarán un vapor tan agradable y útil como el incienso de un altar." Yo no sabía entonces por qué ley el pensamiento se hace irónico. Pero él nos caricaturizaba a todos ejerciendo así contra nosotros su manía paranoica. A mediodía llegábamos a la embajada. Era el Coelum Empyreoum de nuestro fetichismo moral, con su gran portal de mármol, sus columnas y escalinatas abiertas a los costados, sus cenefas de dosel suspendidas como fauces, en viva comunión con la sonrisa de Augusto Belial, nuestro embajador. Contiguo a su despacho oficial, el embajador tenía (como si se tratara de un alambique de su propio inconsciente) un vestíbulo de muebles imperiales franceses, a los que se sumaban raros jarrones pompeyanos; una estatuilla de Diana se destacaba bajo el recuadro de un gran espejo, el que a su vez descubría la presencia estratégica, en un rincón de la sala, de una otomana de felpa roja, *une lèchefrite douillette*. A un costado veíase el recinto de un comedor privado y, al frente, entre cortinados y baldaquines azules, un corredor de lustrosa *boiserie* que conducía finalmente al dormitorio (verdadera cucúrbita o caldera de sus instintos idolátricos, según repulsa de Jessup). Todo ese líquido mental de cocciones ignÍferas, refluía luego en amabilidades no siempre dúctiles, aunque sí engorrosamente sicalípticas.

El embajador había quedado en mostrarle a Bettina

su novísima colección, con texto trilingüe, de la *Erotisk Tvang*. Nos recibió en su despacho vestido con un riguroso traje oscuro y corbata de plastrón, como acostumbraba presentarse en las recepciones ministeriales o en ciertos oficios de carácter estrictamente protocolar. Me saludó con un gesto marcial, juntando los talones e inclinando la cabeza, aunque por la prontitud con que se olvidó de mí parecía sentirse encantado de poder exhibir cuanto antes sus hipotéticas técnicas místicas del erotismo. Jessup, enrigidecido en su función de diplomático, me llevó afuera con inocultable y escabrosa solemnidad. Conforme a su recato, anduvimos en silencio por un largo pasillo alfombrado y circular que llevaba, según me aclaró, a una de sus oficinas secretas.

—Toda complicidad es siempre incestuosa —me susurró al oído como si delirara en un semisueño.

Luego su voz volvió a retomar su seguridad habitual.

—En el *Tractatus Aristotelis* se dice que la serpiente, la más astuta de los animales, "cuando está sumergida en el agua, forma, por la ilusión, una materia hipostática. En el agua reúne la serpiente las fuerzas de la tierra. Como es muy sedienta, bebió desordenadamente, de suerte que se embriagó y logró que desapareciera la naturaleza a la que está unida." Tal el poder alquímico de la imaginación. He aquí, en igual medida, la consustanciación que ejerce nuestra condesa Messina. ¡Somos ya su ser mismo, como que ella es Roma, verdadera luz del mundo! Lifar ha comprendido, por proyección, esta tradición hermética y es natural, por ley de la avidez misma, que ahora desconfíe de usted.

Mientras así hablaba se había sentado frente a un escritorio tan negro que más bien parecía un catafalco para féretros. Y se atusaba los pelillos de la nariz en una manipulación simbólica. Pensé que sus dedos olían a excremento.

—¿Por qué? —pregunté con ansiedad.

Extrajo de uno de los bolsillos de su chaleco una moneda que examinó con repugnancia. Al ofrecérmela, dijo:

—El anverso, como verá, imita un *rosenoble*. Pero en su reverso lleva inscripta una visión onírica, con un lema que expresa: *Somnia credentur vix*. La figura corresponde a un dragón, Ouroboros, que devora su propia cola. ¿No es, acaso, usted mismo en su acendrado esmero intelectual? Usted apela, por puro racionalismo, al olvido. Elude lo obsesivo. Tiene una aguzada conciencia de su neutralidad como un hermafrodita. Consiente a todo, pero no estimula ninguna acción. En cambio Lifar reconoce el valor de la iniciación. Incluso acepta la abyección. En eso estamos. ¿Qué ventajas ofrece usted? Su *coniunctio* con el mundo es todavía un nudo de oscuridad. ¿A quién sirve, pues? ¿Recuerda o no cuando casi se ahogó con su propio vómito?

Recordé la escena del ajusticiamiento y el alboroto de mi corazón. Pero no fue a la víctima a quien evoqué, sino el rostro atónito (y, de pronto, bestial o hieratizado) de Bettina que reproducía la furia del alma expulsada, resistiéndose en sus ataduras a abandonar los huesos, órganos y miembros de un ser vivo. La mujer colgaba de las junturas de un trípode de maderos aherrojados. Había quedado al final exhausta y su cuerpo desnudo se mecía mansamente, abandonado ya de sus componentes superiores. Brillaba con una extraña palidez. Bettina estaba en éxtasis ante esos toldos ornados de colgaduras amarillas y rojos festones del oratorio bizantino, levantado en una galería de la mansión, donde se había consumado el sacrificio. ¿Pero aquello era real o ficticio?

La condesa Messina miraba y sonreía con placidez como si a su idea de la superación de la muerte hubiese sido subyugado el instinto de la animalidad. Lifar besaba ansiosamente su mano descarnada y expresaba que la adoración a la divinidad, en cualesquiera de sus formas, incluía la idea de regazo.

—No es el miedo, es el placer de la muerte lo que obliga a domesticarse —decía con una sutil perfidia que movía a la admiración. Entonces sentí que mis entrañas se rebelaban como una tempestad.

No vomité sin embargo. La verdad es que tragué mi propio vómito. Y fue precisamente Jessup el que percibió este subterfugio de mi autofagocitación.

—Parece que es usted, por inneidad, un coprófago —reconvino torturándome con repentina animación. Y completó el pensamiento insinuado por Lifar al repetirme el famoso verso:

Beasts may degenerate into men.

Luego vino el cortejo de salida. La condesa se adelantó con su rostro de momia y sus ojos secos de ave de rapiña. Iba tomada del brazo de Zappo que a su lado parecía un hierofante gigantesco. A manera de protección contra los maleficios de los débiles llevaba sobre su frac un collar de esmeraldas translúcidas que relucían entre los engarces de medallones trebolados. Al andar oscilaba su cabeza, lo cual destacaba aún más su instintivo desprecio por los semejantes.

—¡Frau Hölle! —le musitó el embajador al pasar, al tiempo que inclinaba la cabeza en un gesto reverencial.

Bettina avanzó al lado del embajador. Noté que Lifar seguía sus movimientos envarado en una engañosa mueca de ironía. También sonreía Jessup mostrando sus dientes ralos y sucios.

—Sus recurrencias hignagógicas no habrán de rendirle ni siquiera los desahogos del retrete —dijo el sabandija con su habitual parsimonia.

Me había distraído sólo por un instante de la conversación y volvía a ella con la misma fatiga que experimenté al final de aquella *fluorescencia* de la muerte, tal como Zappo ponderó la excelencia de tan desgarrante espectáculo. No obstante (y como un signo vívido de mi propia dispersión interior) los motivos de aquella ceremonia (que aún pervivían en mi conciencia) eran otros, meros fragmentos de la observación, detalles ridículos, como aquellos increíbles folgos que calzaba la condesa y que se asomaban como despavoridos animalillos debajo de los largos y recamados pliegues de su vestido suntuoso.

Pero Jessup reclamó nuevamente mi atención.

—Nuestra Sociedad se funda en una idea ancestral, pero que hoy llamaría luterana: la inmediatez del demonio. De ahí sus hedores. Recuerde que la muerta devolvía por atrás el último desperdicio que la ataba al mundo. Al menos Lifar, su final ejecutor, nos ha devuelto su cosecha. Ahora tendrá usted que proceder liberando su propia víctima. Sólo damos nuestra omnisciencia después de matar. Es el punto en que Lifar desconfía de usted.

—¿Me cree un cobarde?

A partir de ese momento actué como un autómata. Sonreí bien consciente de mi propia timidez. Y en lo que ya era para mí un salto sobre el vacío, seguí hablando como si jugara con él una partida de ajedrez. Cada respuesta o gesto mío implicaba sistemas de movimientos, cambios de piezas, avances insólitos por líneas cruzadas que perseguían un solo fin, distraerlo, atraparlo en mis redes invisibles. Trazaba líneas de estrategias, veía mis escondrijos y, por momentos, como ocurre en los sueños, me parecía avanzar por intrincados laberintos, descubriendo proyectos muertos, rostros perdidos en las sombras, recuerdos o imágenes mutiladas en mi inconsciente. Tuve la sensación, al reír, que mi risa repercutía en largos corredores o en oscuros abismos o trasfondos del alma a los que nunca podría llegar. Al mismo tiempo, lentamente advertí que, aparte de lo que decía, había algo en el fondo de mí mismo que me fascinaba, una roca a la cual estaba atado mi propio yo. Y volví de este vértigo con una aguda noción de poderío como si mi conciencia se hubiese desprendido de una culpa ancestral. Dije que estaba decidido a todo. Lo cierto era que había descubierto mi propensión onírica a actuar, mi propia gratuidad.

Ahora Jessup tenía el aspecto de un caballo. Y caminaba como si golpeara sus herraduras en el suelo. Cuando regresamos el embajador, malhumorado, se alisaba nerviosamente la ropa. Un mitologema de la represión me pareció Bettina (violenta).

5

Ah, las furias (telésticas) de Bettina. Zappo las explicaba, según su humor, como un estado provocado por la intervención de un demonio en su mente o, de acuerdo con una vieja teoría materialista, como el flujo de vapores cerebrales (y mefíticos) que buscan sin conseguirlo su exhalación a través de los nervios del cuerpo, al que convulsionan. En este caso Bettina refleja inclusive los poderes de la Pitia.

Todos sabíamos que ella entraba en una lasitud o postración llena de asechanzas como si un espíritu mudo y maligno invadiera su rostro que se le demudaba y adquiría la dureza e impenetrabilidad de la depresión. Sobreveníale entonces una ciega apetencia desenfrenada, orgiástica, y cedía al coito con ayuda de gemidos estertorosos y sensaciones de ansiedad. Sin duda, en su angustia intentaba generar o restituir un ritual de liberación. Al trasluz de su propia histeria nos comunicaba el ardor de la represión misma. Era como hacernos partícipes, en la posesión, de un trasfondo de vida soterrada, luminiscente, que atrapa y hace vibrar las rugientes cuerdas del sentido, como cuando uno desciende a sus más selladas prohibiciones. Lifar me había dicho que ella lo llevaba a una suerte de catarsis coribántica. No era sólo, pues, el exceso de un acto de compenetración, cuanto la euritmia trágica del desenfreno mismo de la naturaleza, acosada en sus símbolos.

—La lujuria tiene en ella su horario como en un añalejo —le comentaba Lifar a la condesa y ella asentía con una débil sonrisa que caía en el surco seco de una de las comisuras de su boca. No había sin embargo en ello consentimiento alguno. La condesa alejaba siempre a su interlocutor que, como en este caso, quedaba abrumado y lleno de incerteza en su intento de comunicación con ella. En el vacío de su silencio sólo su mirada vigilaba, esa mirada que expresaba la totalidad de su persona, su intimidad abismática, el misterio de una plenitud casi irracional. Sólo era posible oírla cuando existía en torno a ella la suspensión más absoluta del juicio de todos. Entonces abruptamente soltaba su voz como el chasquido de un látigo que marca.

Zappo solía referir, a propósito de la imperturbabilidad de la condesa, que Breton había tomado de su semblante, ligeramente azulado, la belleza alegórica de la mujer muerta que aparece al final de su *Poisson soluble*. ¿O no era ella, acaso, aún ahora, la encarnación más viva del color de la "aurora"? También sostenía que su rostro, de incomparable placidez mística, había despertado en Magritte la idea del *"agent secret"*, aquel fabuloso animal *psychopompe* que transporta nuestros sueños por los espacios de la tierra, el infierno y el cielo. Con esto quería evidenciar (y era motivo para que se avergonzara Lifar) que ella había sido siempre, entre elegidos, un centro de irradiación y encantamiento, ajena por esencia a las complicidades de la vulgaridad. La verdad era que nos hechizaba con su serenidad de eremita. Tenía la prestancia de un testigo supremo. Y a pesar de la atracción que sobre ella ejercía la viciosidad de la carne, se mantenía extraña y lejana en medio de nosotros, como un lazo que sujeta lo real a lo más sutil y secreto de un mundo invisible.

La condesa había logrado, por una total sumisión a su persona, perpetrar en Bettina una vieja concepción eléusica del sacrificio. En sus alternativas iniciáticas la guiaba con el celo de una voluntad sagrada que sólo se sacia más allá del asco y el desgarramiento. En tal sentido (y sin que Bettina llegara a practicar de ningún modo la ofiolatría) consiguió que besara a una serpiente, tras sostenerla impávidamente entre sus manos. Era una experiencia semejante a la hipnosis, una especie de autocastigo ante el horror de la muerte, que libra a la criatura de toda humillación en el dolor y la proyecta a una idea de placer infinito. A través de tal temple se libera la vibración del cosmos, en tanto que el cuerpo se contrae a la potencialidad de una simiente.

Después de aquella experiencia Bettina volvió a nosotros todavía sumida en un estado de transporte, aunque luego comenzó a retorcerse y a reír brutalmente, tal vez por haber hallado la enorme compensación del inconsciente. Sin embargo la condesa dejó entrever en su indiferencia que el poder de desvarío de Bettina no era todavía valioso. Carecía de transmemoración.

—Sacude sus cadenas, es cierto —corroboraba al respecto Zappo—, pero no supera la barrera de sus inhibiciones. Es un lindo monito que no alcanza a vaciar totalmente su yo. Su conciencia de culpa la eriza y la pone al borde de la catatonia. Retrocede aterrada o busca protección. De ahí que predomine aún en ella el desenfreno de la sexualidad como un desahogo de su propia crispación. Repite la génesis de un narcisismo parental. En cambio las risotadas, alaridos o muecas de la Pitia son siempre reflejos de intelecciones armónicas y exquisitas. Como sucede con nuestras víctimas, sus gestos se cargan de resplandores sobrenaturales. Pero a diferencia de ellas, la Pitia es invariablemente un vehículo feliz.

¡Al menos Bettina estaba en su camino verdadero! Yo, entretanto, había comenzado a padecer el acoso de Jessup. No podía deshacerme ahora de él, ni siquiera encerrándome el mayor tiempo posible en nuestro departamento de Via Cortese, ay, no tan lejano ya de la embajada. Aparecía a cualquier hora del día, con su sonrisa fétida y helgada, sus uñas malolientes, su curiosidad insaciable arañando todo desde el rabillo de sus ojos ríspidos. Ni aun estando Bettina en casa podía librarme de aquel Yahoo castrado. Jessup parecía haber tomado la virtud mágica de no incomodarla en lo más mínimo. Por el contrario, sentíase fortalecida con su presencia. Lo dejaba entrar y era inútil intentar apelar, en otro momento, a su complicidad o discreción para que me negara. Lo acogía con júbilo e incluso tomó la costumbre de valerse de él para recriminarme sin otro espíritu que la pura mofa. Jessup obraba al parecer en el ánimo de Bettina como el *Eiapopeia* de las potencias celestes. Y le retribuía su gracia desnudándose y danzando a su alrededor como una diosa. O bien me gritaba y me insultaba, abrazada a su cuello, cuando yo no le respondía a Jessup sobre sus exigencias de un crimen.

—Confunde usted la destructividad de su yo con la pulsión de la muerte. Se detiene en un falso desciframiento. La muerte es pura repetición y no se agota en un destino especial. Como decía Freud, es "una energía desplazable, de suyo neutra". ¿No acepta la posibilidad de que ella provenga de un Eros desexualizado? Lo más difícil es superar el narcisismo, pero es el único camino —agregó suspirando mientras retenía en sus brazos a Bettina, quien mostrábase una vez más dispuesta, desde su desnudez, a sacarme la lengua a cada risita de mi interlocutor.

Todo aquello parecía odioso, pero no podía negarme al carácter "sublime" que asumía, en su persistencia, la agresividad de Jessup. Yo sabía que era capaz de crearme estados teúrgicos de autoabominación, en que todos los dioses vociferarían contra mí desde los restallantes rincones del mesencéfalo, provocándome fríos sudores, náuseas y letargos. Por lo demás ya era inocultable su treta de volverme contra mí mismo. Pero allí estaba su reconvención edificante, pues así como la crueldad es la paradoja de la culpa, la necesidad de llegar al propio castigo sublima toda perversidad y la convierte en moral. De ahí el tono melancólico con que vine a cumplir mi sórdido compromiso.

6

Alentándome hacia tal fin, Jessup me puso en contacto con un sujeto estrafalario llamado Ankor Fernalio. Con él me encontré esa mañana en una *trattoria* cerca de la Piazza del Campidoglio. Al poco rato supe que había sido un ex oficial de la Legión Pelorilana de Mussolini en Abisinia, donde fue herido en las primeras escaramuzas de Dancalia. Luego había sido asimilado, por su *naturale trasparenza,* a los servicios de espionaje y delación del régimen. Debido pues a esta perspicuidad innata en él, de no dejar rastros de sus crímenes ni vestigios de sus víctimas, había logrado salir indemne y sin sospechas de su tránsito por la "Faccetta Nera". Ahora era uno de los ejecutores de la condesa Messina.

—El crimen exige un largo aprendizaje —me dijo mirándome con sus ojillos de víbora, uno de los cuales le lagrimeaba sin parar—. La criminalidad, es decir, nuestra espontánea tendencia a degradar al semejante, humillarlo, infligirle inútiles sufrimientos, martirizarlo, quitarle sus bienes, etc., no es más que un ciego basamento del alma en el que anidan nuestros más fértiles instintos de agresión. Pero otra cosa es el don de la cobardía y, más aún, la cobardía misma ejercida como sevicia del crimen. En principio, el hombre cobarde no ama, finge amar; aparentemente invierte su compulsión destructora. Sólo cuando llega a estar poseído totalmente de su propia ruindad, al punto de temer ser denunciado a cada paso en su íntima pusilanimidad ("*timere flagitium pejus leto*" —recitó, esgrimiendo por encima de su cabeza su dedo índice), sólo entonces puede llegar a transformar su represión en una mecánica erótica simple: matar. ¿Ve usted la diferencia con los otros mortales que caen en la tentación del crimen? ¿O no percibe la acidia que deja en el cobarde la fría determinación de matar? ¡Eso es lo que importa en nuestra Sociedad, mantener siempre vivo el desabrimiento en el ánimo de cada uno de nuestros iniciados! Parecerá una obsesión, pero es tan natural como glorificar la porción diaria de nuestras heces. ¿Conoce, al respecto, la glotonería de la *Cloacine* de Swift? Es la diosa de Jessup. Y mía.

Yo ya no podía acompañarlo en la manducación de mi

pizza y menos aún ante el chapaleo con que masticaba la suya. Incluso el chianti me sabía amargo. Comía y hablaba al mismo tiempo con la boca abierta y mostraba su bolo como una pelota de golf imposible de tragar. Sin embargo pasaba y yo sentía, por sus gestos, que lentamente bajaba hacia su estómago como a través del largo cuello de una zancuda. Al instante la gastritis expulsaba sus gases y al hipar se le inflaban monstruosamente las mejillas, hasta que se liberaba de esa distensión exhalando una bocanada de sepulcro. Pagué y nos levantamos a realizar mi primera experiencia.

Caminamos largo rato y así llegamos a una estrecha calleja. Fernalio (que seguía eructando todo el tiempo) se detuvo bajo un alto frontispicio romano que contenía en su centro un emblema heráldico de signos casi borrados por la intemperie de siglos. Empujó una vieja puerta tallada sin que aquella batiente del infierno hiciera el chirrido que yo esperaba. Me invitó a entrar primero. Ningún vestíbulo o antesala nos aguardaba en su interior: sólo un largo pasillo en penumbra, el cual terminaba al fondo en una reja empotrada. Más allá se ofrecía a la vista un patio muy bajo a cuyo término se veían los espigones de un murallón antiguo. Pero a mitad del pasillo existía una sombría entrada, con una escalera de piedra que conducía, entre muros estrechos, a un rellano ciego que al principio no dejaba ver el otro tramo que continuaba hacia un altísimo piso de mortecina claridad.

Desde abajo miraba ahondarse un techado de travesaños retorcidos hasta que advertí, mientras subíamos, que los mismos sostenían un pesado arco de hierro con sus arandelas vacías. Una gran bóveda enclaustraba aquel recinto o galería tapiada. Sus arcadas habían sido clausuradas alguna vez. Eso era evidente. Pero todavía quedaban dos grandes ventanales que daban a una alta muralla de paredes ennegrecidas. Todo esto acentuaba aún más la impresión de estar en medio de un pasado humillado. La mortal decadencia de los revestimientos descascarados y el esqueleto de esas resquebrajadas pilastras de sostén (cuyas aberturas pudieron haber sido antes esbeltos miradores) ahora contradecían el ánimo ante cualquier falsa ilusión de esplendor o grandeza.

—En el Renacimiento ésta fue la famosa terraza en la que los antepasados de la condesa no sólo gustaban platicar a la vista extendida de Roma, sino ajusticiar a sus condenados. Los hacían traer aquí para regocijos de sus cortesanos. Aparecían esos desgraciados por esta puertecilla que se comunicaba con sus prisiones subterráneas, cavadas en la colina misma.

La puertecilla estaba colocada al fondo de una oscura antesala, frente al descanso último de la escalera por la que habíamos subido. Tenía su huraco el aspecto de una ojiva abierta en la entraña de un muro con espesor de fortaleza. A su lado veíase una pila de mármol que sobresalía al pie de una hornacina donde, según Fernalio, en un tiempo se reverenciaba una imagen de Príapo. Lo curioso era que no había en aquel espacio, al menos en su clausura de ahora, otra comunicación con el resto de la mansión. De ahí que ella ejerciera de pronto tanta aprensión en medio de aquel cobijo de murciélago. En verdad, nadie hubiera podido negar que en su silenciosa acechanza deparaba una sucia sensación de odio ancestral a ser devorado. Pero tales escrúpulos se disipaban en cuanto uno advertía que aquella vil poterna estaba atrancada por barras de hierro incrustadas entre sus cuarterones y clavadas a cada extremo del marco.

Sin embargo Fernalio la abrió tirándola desde abajo hacia arriba, de dos manijas que salían al pie, lo cual ponía en funcionamiento un sistema de pesas y poleas que hacía posible su desplazamiento. Entramos. Un vaho de pesada atmósfera rozó mis labios e invadió toda mi cara con su agria humedad. Sentía un vago erizamiento como si me hallara frente a un animal desconocido. Pensé otra vez en la lamia de ojeras colgantes e, instantáneamente, creí que tropezaría con una bestia extraña, mezcla de cerdo y cocodrilo. Pero eran las figuraciones propias del subconsciente enfrentado una vez más con las sombras. La mera sospecha de encontrarme con algo en aquella oscuridad, revertía mis instintos a una aberración casi procaz. Se trataba, para qué negarlo, de una representación obsesiva: la de moverme otra vez por canales o conductos de una vida inferior, prenatal. A tal punto mi conciencia había caído en el sumidero de su propia regresión.

Fernalio me ayudaba, entretanto, a bajar por esos escalones resbaladizos que apenas alcanzaba a distinguir, hasta que llegamos a un pasadizo que se desviaba de tal hueco interminable. El pasillo sólo tenía claridad al final de su tramo. Allí nos encontramos en una suerte de torreón, pálidamente iluminado desde las ventanillas de una bóveda. En el centro había una gran campana de metal. En realidad era una ergástula, con su puerta de rejas cerrada a uno de sus costados. Fernalio la abrió con una llave que extrajo de sus bolsillos y entonces mis ojos vieron la figura de un hombre exánime dentro de ella, maniatado y colgado de sus brazos, con el cuerpo que pendía sobre un agujero y que se balanceaba lentamente. La cabeza caía justamente a la altura de mi cintura. Fernalio se agachó y le levantó el rostro, tirándolo de sus cabellos.

—Felizmente aún está vivo —dijo.

Me explicó que se trataba de uno de los tantos peregrinos que sin cesar llegan a Roma en cumplimiento de sus propias devociones. Lo habían traído allí con engaños, a fin de que sirviera, como en este caso, a los propósitos y necesidades de la Sociedad.

—Usted no tiene más que cortar la cuerda que lo sostiene. Caerá y se pudrirá en algún recodo de los acueductos cloacales de la ciudad. El suyo, como usted ve, será un acto sencillo, consumar un sacrificio inútil y sin sentido, pero que lo colocará a usted frente a sí mismo, frente a su propia gratuidad, sin otro malestar que una vacía desesperación. No olvide que manipular o subvertir inmundicias es el mejor atributo de la razón humana para ornamentar la voluntad de poder si opera de por medio la cobardía. De un modo general lo dijo Swift: la espina en la carne sirve como aguijón para el espíritu.

Me entregó un cuchillo de poco filo. Tuve que esforzarme en desprender de aquella cuerda tirante las primeras fibras de su cáñamo. La frente se me bañó de sudor y por dos veces me detuve a secarme los ojos. Junto a mi respiración acezante oí un leve quejido o una palabra (*imram*) desprendida de la garganta de la víctima, al girar su cuerpo trabajosamente entre el temblor de mis manos. La masa del condenado cayó inerte a las profundidades y desapareció de mi vista como si nunca hubiese estado allí presente. Sólo perturbó mi asombro ante lo que había hecho el chasquido de unas aguas soterradas que el eco, a desatiempo, devolvía a través de ese orificio de tan insólito uso.

—*Adesso, non uscire dei gangheri!*

Y me palmeó la espalda, riendo.

Cuando salimos y caminamos por un parque de espesa arboleda, entre el chirrido de cubiertas de automóviles sobre el asfalto y bocinas que se mezclaban con el rumor de las ramas y el silbido de pájaros que revoloteaban, Fernalio me retrotrajo a viejas historias de adulterio de Bizancio o Alejandría, contadas por Eustaquio y Aquiles Tacio. Según los cánones de aquella tradición caballeresca, de origen monástico, la mujer era considerada como la encarnación del mal. El *motif* erótico de esas leyendas consistía, pues, mediante un sustituto virulento de la moral y el uso simbólico de mimos y arrimos interrumpidos, en exaltar el trauma de la impotencia como virtud. Este doble horror a la mujer y al deseo insatisfecho, conducía a la tortura y al despanzurramiento de las hembras, cuyo desliz era castigado con la venganza de obligarle al hombre a comerse su propio hijo. En suma, agregaba, aquellos relatos eran, en su época, verdaderos panegíricos de la castidad.

7

Yo debía tomar el barquichuelo en viaje hacia la ínsula donde estaba la ciudad de cuantos habían muerto de muerte crudelísima. El agua exhalaba negros vapores sulfúreos y desde allí veía, sobre un horizonte brumoso, alzarse los muros de casas y árboles iluminados por resplandores fugaces. En la espera me distraían los alaridos de dolor que venían de la orilla opuesta. De pronto el barquero se acercó con un gruñido malevolente y su ropa a jirones me lo fue mostrando, a medida que se acercaba, encorvado y sucio como un menesteroso. Olía a comadreja en su época de apareamiento, con fetidez obscena y litúrgica que se entremezclaba al cloqueo de las aguas contra la barquilla y al blando piso del légamo. Ronca era la voz de aquel tartáreo aqueronte que me hablaba mientras me extendía su mano helada y viscosa. El remo había quedado oscilando sobre el flujo del hirviente lecho, repentinamente lleno de ojos falaces. ¿Tenía que beber además de este caldo negro del Cocite?, me dije con humor desaprensivo y casi premonitorio.

La sola pregunta hizo que me despertara allí mismo. Bettina yacía a mi lado. Entonces recordé el turbio balanceo de la reciente posesión en que su cuerpo me alentaba con un largo gemido en su respiración.

Al despertar oí que sonaba insistentemente el timbre del departamento. Me levanté y apenas cubierto por una robe acudí al llamado. Allí estaban Zappo y Lifar, borrosos ambos como dos ectoplasmas.

—La licnomancia no provee necesariamente lucidez —dijo burlonamente Zappo apartándome al entrar. Su mano brillaba enjoyada cintilando luciérnagas en mi mente.

—Hijo mío —volvió a hablarme gesticulando como un actor—, una balada noruega, *Draumkvaede,* dice que quien dé pan al indigente no temerá el ladrido del perro feroz; quien dé cereal al pobre no tendrá que temer los cuernos del toro; quien vista al desnudo no tendrá miedo del ventisquero.

Mientras así hablaba se movía en torno de mí y me hacía girar a la vez como una veleta, tocando mi frente al referirse a los cuernos y abriéndome la bata para admirar mi desnudez. Lifar fingió un sonido como si imitara la trompeta del Arcángel Miguel que anuncia el juicio de cada alma viviente. Luego, encorvándose como un ladrón, avanzó hacia el dormitorio. Al descubrir a Bettina dormida y desnuda, lanzó un suspiro de júbilo y desapareció de nuestra vista.

—No es necesario —siguió burlándose Zappo—, que invoques la blanca escarcha para defender tu pudor. Cúbrete. Céfiro también trabaja entre los setos de oro de nuestras ideas.

Al notar la escapada de Lifar, gimió compadeciéndome:

—Ah, déjalo que sucumba en la escabrosa montaña cantada por Sidonio. No hay culpas en el palacio de la diosa. Mal puedes entonces mojar su pulido piso de jaspe y paredes de berilo con tus lágrimas de veneno o hiel. Ven, siéntate.

Y cayó él mismo bufando como un toro sobre el sillón de felpa roja que adornaba el ambiente.

—Tienes que conocer parte de la historia ahora mismo.

Hubo un largo silencio y de pronto habló con inocultable cansancio:

—Nuestro mundo es, como sabes, extrañamente alegórico. Sus aconteceres o exterioridades no son más significativos que nuestras visiones, fantasías o imágenes oníricas. Lo importante es que se comunican dentro de una trama que es terriblemente real. Cuál es la sustancia de esa trama, no lo sé. ¿Alcanzaremos alguna vez a vislumbrar su sentido? —Luego de respirar hondamente, prosiguió—: El caso que nos importa es éste: la condesa —y aquí suspiró haciendo un mohín al escuchar las apagadas risitas de Bettina y los gruñidos de Lifar—, la condesa ha soñado que yacía encadenada en la celda de un hospicio. Ese hospicio era, por su construcción, muy antiguo, pues la condesa creía estar en el siglo XVIII. Sin duda se trata de una experiencia de sincronicidad, una especie de rapto, ya que la condesa, en verdad, no duerme. Tal es su poder sobre la animalidad del cuerpo. Suponemos que ese hospicio ha de hallarse en París o en Londres. Lo cierto es que alguien, desde una celda contigua, la llamaba y le comunicaba una cifra que resonaba como *imram*. Hay que buscar, por consiguiente, ese lugar y al morador alucinado que con ella se comunicaba. De ello se encargará Lifar. ¿Pero tú? Tú tienes una misión aún más pesarosa.

Oí *descender... Quoi! Au delà de l'enfer?* Recapacité y seguí el curso de mi propio pensamiento, sin prestar atención ya a Zappo que (vacíamente lejano) continuaba recitando su melopea. Y tal como se dice en el *Liber Platonis quartorum*, en un instante "recorrí los tres cielos, esto es, el de las naturalezas compuestas, el de las naturalezas diferenciadas y el del alma". Mas cuando quise recorrer el cielo de las inteligencias, un largo gemido de Bettina me volvió o nos volvió a nuestros asilos cotidianos, lo cual hizo decir a Zappo:

—*Mulier non habet animam, sed animum.*

Después continuó con aparente tono paternal, aunque amenazante, ya que sus ojos habían comenzado a despedir raros fulgores de inquisitiva compenetración:

—Hablo de una revelación, de un orden surgido de procesos inconscientes. Si tú quieres, de una nueva fuerza adivinatoria. Pero no llegas a percibir esta dimensión porque sólo hay en ti una constante dispersión de eventualidades causales. Nada arriesgas al azar. Tu idea del mundo me recuerda a la *Epifanía* de Hieronymus Bosch, donde no hay sino trampas y emboscadas, desafíos en el amor y el deseo, devoración de caminantes por las fieras, lobos que persiguen mujeres, cuervos que acechan sus víctimas desde las ramas secas. ¿Habrá que practicar contigo la extracción de la "piedra de la locura"?

Entonces recordé, como si realmente me despertara, el modo como Bettina había flagelado a Jessup. Se lo conté, temiendo incluso por mí, y Zappo soltó su risa desaforada y chillona mientras movía sus brazos con volubilidad.

—Lo sé, lo sé. Llegó a mí como un cura afectado por el *risus paschalis*. Cierto, Jessup mismo festejaba el suceso con estentóreas carcajadas de pascuas. Para mostrarme sus llagas se desvistió totalmente y yo vi que su escroto vacío le colgaba como un par de orejas de burro caídas como trapos. No te asombres que él como verdadero solípedo siempre tira para su horca. *Equuleus!*

Y reventó otra vez de risa.

8

Me sorprendió recibir, a menos de un mes de su partida, una carta de Lifar, fechada en Plymouth. ¿Qué hacía allí ese hurón del infierno, aparte de indagar la cifra de una alucinación de la condesa en los loqueros más turbios de Europa? ¿Es que él había fracasado y huía ahora entre las paradas de necios marinos y los estandartes del Almirantazgo? Era una larga carta en la que describía minuciosamente su última *juge convivium* con Bettina. Mezclaba giros y frases culturales con insulsas procacidades infantiles. En esencia decía que Bettina no está limitada a una mónada, sino que fuerza lo invisible. Es *Tao*. Pero es, también, el alma del mundo que se interna liberadoramente en las cosas ilusorias. Y citaba a Richard Wilhelm para explicar cómo el yo de mi mujer "se arranca de los enredos del mundo, y permanece viviente después de la muerte (o la *petite mort,* ponía entre paréntesis), porque la 'internalización' ha impedido el derrame de las fuerzas vitales hacia fuera, y éstas han creado en su lugar un centro de vida, en la rotación interna de la mónada, que es independiente de la existencia corporal". Luego de afirmar y exaltar el eterno coito rejuvenecedor, volvía al ataque, al parecer, contra su propia soledad, esgrimiendo para ello una actitud de humor, con lo que quería salvar el narcisismo de su yo. Aquí reproducía literalmente a Freud: "El humor no se resigna, sino que se rebela; no sólo implica el triunfo del yo, sino también del principio del placer, que encuentra así manera de afirmarse sobre la adversidad de las realidades exteriores".

Cuando llevé su carta a la condesa Messina, Zappo me hizo conocer el informe que Lifar había enviado acerca de su peregrinaje por el mundo de la locura. El documento constaba de varias cuartillas escritas a mano, encabezando a modo de título o capítulo las casas visitadas. Así rezaba la primera:

Asilo de Clancy

Monsieur Shentoub, Director fiduciario de esta famosa casa de alienados, luego de conocer el motivo de mi visita, me condujo directamente al país de los *empusa*. Los *empusa* son asilados que han optado voluntariamente por ser fantasmales, según franquicias que establece el reglamento interno de esa casa de salud. Viven en los sótanos y corredores subterráneos de la antigua fortaleza de Clancy, que está en la Rue Dauphine, próxima al Pont Neuf. Se mueven en las sombras corriendo y ejecutando saltos de danzarines, igual que animales adiestrados, y emiten sonidos de tráqueas, semejantes a largos eructos, con los que llenan los ámbitos del subsuelo como una aterradora bandada de grajos o cuervos. Pero al acercarse un extraño se muestran curiosos y mansos. Lo huelen con ansiedad y luego, en expresión de afecto, lo acarician pesadamente con sus manos, palpándolo en todas direcciones y a lo largo de los miembros. Esta operación duró, en mi caso, casi una hora, lo que me produjo al comienzo un agudo estado de crispación y, finalmente, una suerte de adormecimiento muscular. De este trance de hipnosis o parálisis, al que me adentré estando aún de pie, vino a sacarme el propio Shentoub con llamados y suaves golpecitos en las mejillas.

Los *empusa,* según ellos mismos creen, han apagado el sol. Pero soportan que sus guardianes los visiten usando linternas o faroles, ante cuyos haces luminosos se retuercen, saltando hacia atrás con brincos de espanto o huyendo entre aquellos recovecos hacia algún rincón o guarida de tinieblas completas. Shentoub sostiene, no obstante, que esos actos de huida son fingidos, una pura *mise en scène* urdida a conciencia para aparentar cobardía. Se gozan en mostrarse espantadizos, cuando es la proximidad de los cuerpos lo que apetecen como un rito. Duermen hacinados, se me dice, y se acoplan gimiendo, o se rascan mutuamente, incluso hasta lastimarse.

Cuando quise orientarme Shentoub ya no estaba a mi lado. ¿Cómo podría volver, pues, y qué tiempo permanecería yo en ese tugurio de sombras? Sin advertirlo había perdido toda idea de la hora, puesto que la angustia, cuando realmente oprime o agobia, deposita en el alma el peso de lo intemporal. Quizá el adormecimiento de mi cuerpo, provocado por el manoseo de esos seres anónimos, no haya sido más que un modo iniciático de incorporarme a ese mundo. Es posible que afuera siguiera siendo de día, como lo era sin lugar a dudas cuando entré al asilo de Clancy, tal como mi mente se obstinaba en recordármelo cual si estuviera a punto de despertarme de aquella pesadilla. Pero la oscuridad misma (a la que ya me había acostumbrado) me distraía de esta certeza. Por el contrario, cada vez más se me imponía la sensación de estar asistiendo a una reunión nocturna, por no decir, a un aquelarre. Hasta conservo el recuerdo de una vaga luminosidad, como de luna, vertiéndose desde las aberturas de una cúpula en lo que parecía ser el lugar más sagrado de los *empusa*. ¿Era aquello, en verdad, una cripta, un sagrario subterráneo? Lo cierto es que bajo aquella claridad me enfrenté a la figura principal que presidía esa grey tumultuosa. ¡Madre de los muertos! Era la Empusa misma.

Estaba sentada en el centro de un altar que, en principio, me pareció un osario o *spelaeum,* ya que la rodeaban en semicírculo varios féretros o sarcófagos abiertos y puestos de pie, en los que se distingían sus momias inmóviles, cubiertas por cendales cenicientos o desgarrados a jirones. La Empusa tenía larguísimos cabellos blancos y hedía a podredumbre. Uno de sus pies estaba terriblemente deformado y lo movía despaciosamente sin parar. Al adelantarme yo instintivamente hacia ella, las momias perdieron su rigidez y se estiraron con rítmica armonía al salir de sus féretros, danzando a mi alrededor mientras entonaban cantos que sonaban en mis oídos como el parloteo de algún prehistórico dialecto celta. La ilusión o el artificio comenzó entonces y me encontré con que el rostro de la Empusa era el mismo de Bettina. Yo luchaba por desterrar de mis ojos esta apariencia, pero la semejanza se mantenía con absoluta fidelidad. Me acerqué lo que más pude para comprobar el parecido y ella extendió sus brazos sobre mis hombros.

Hubo de repente un gran silencio. Sentí que la Empusa me arrullaba acompasadamente. Pero, a la vez, detrás de mis espaldas resonó una voz que al instante se expandió por todos los rincones del edificio. En sostenidas escalas, casi gregorianas, comenzó a hablar del placer y del displacer, del sueño y la neurosis, de la enantiodromía, de las tensiones endógamas y exógamas del espíritu inconsciente y de otros submodelos de la interpretación analógica de la muerte. De esta perorata se desprendía que el sueño es, en sí mismo, un privilegio, y que sus imágenes constituyen altos valores paradigmáticos, siendo en cualquier caso afín a la naturaleza neblinosa del alma su función simbólica. Imprevistamente la voz se hizo rapidísima, como si leyera. Recuerdo que citaba a Ricoeur: "Si la *Wunscherfüllung* del sueño ha de poseer un valor ejemplar, en su transposición a la vigilia, debe superarse el carácter circunstancial del dormir, del deseo de dormir, que parece sin duda el núcleo del sueño irreductible a la transposición."

Todo ese tiempo permanecí en el regazo de la Empusa que me acariciaba los cabellos con complacencia y ternura. Era realmente como estar en brazos de Bettina. Pero de pronto recordé el objeto de mi misión. Me erguí y reclamé a la voz tonante el significado de la cifra *imram*. En adelante, no oí más que carcajadas. Rechazado por la propia Empusa rodé por el suelo; me arrastraron, me golpearon y escupieron. No bien pude recobrarme de la agresión, me vaciaron sobre la cabeza una enorme vejiga de un líquido caliente y pegajoso. Al incorporarme de esa vicisitud que en el chapuzón me llevó a revolverme con gestos inútiles como si estuviera en medio de un naufragio, vi que la Empusa reía con una mueca que le desfiguraba el rostro, el cual ahora se había transformado en el de la condesa. Ella ordenó mi suplicio y me colgaron de un gran trípode que se desplazaba sobre rodillos chirriantes. Allí me suspendieron tensamente de las muñecas, atando mis pies con cadenas a los travesaños inferiores. Los gritos habían vuelto a llenar los ámbitos. Con un largo cuchillo que lanzaba sus resplandores sobre los muros ennegrecidos, me desventraron. Más que el dolor me sobrecogió el salto impetuoso de un torrente negro que salía de mis entrañas. Nada lo contenía en su caudalosidad y parecía arrasar las figuras que ululaban a mi alrededor. En esa visión me desvanecí.

Cuando me desperté, Shentoub friccionaba una de mis manos. Se sonreía. Y yo advertí que estaba todavía en su despacho, extendido en una chaise-longue, con mi cuerpo intacto y mis ropas apenas desaliñadas.

—Usted confunde intencionalmente *imram* con *Tao* —me dijo con extremada afabilidad, ayudándome a levantarme—. Es que su noción de la vida es la misma que la de San Galgano. Piensa que tiene que cruzar un puente frágil, a punto de quebrarse en cualquier momento bajo el peso de su cuerpo, para llegar a lo que intuye o imagina que es un prado de deliciosa paz y frescura. Entretanto ve, a sus pies, en el fondo de una inmensa hondonada, un molino que gira incesantemente y todo lo destruye en su infernal molienda. A la vez cree divisar, en el río que merodea el molino (enhiesto como un dragón), serpientes, escorpiones y lamias devorantes, que acechan al incauto viajero que baje por las laderas de ese valle de la muerte. Los *empusa* no han sido más que ideas de su mente que ahora, en turbiones de aquelarre, sólo pretenden ocultar o enmascarar, con visos de terror, sus más íntimas represiones de origen medieval. Por ello tiene que reanudar su penoso viaje. Salvo que sea usted el que clame sin saberlo, desde su angustia o desesperación, en el letargo de la noche, una cifra cuya clave no sea más que usted mismo.

Hospicio de Bethlehem

Al ingresar al muy antiguo y sombrío Hospicio de Bethlehem de Londres, situado en Old Compson Street, cerca de Cambridge Circus (con una de sus alas reacondicionadas para las inspecciones del Ministerio de Salud), me recibió Jonás Chuzzlewit, su Director vitalicio, vestido con un largo gabán verdoso y un sombrero copudo, como un caballero de la primera mitad del siglo pasado. Estaba muy preocupado porque acababan de pedirle sus asilados la consumación de un crimen que lo obligaba a investigar minuciosamente entre ellos para conocer el sentido de esta exigencia. Sin más trámite me invitó a que lo acompañara en su investigación.

Reunió a sus huéspedes (que así los llamaba) en la gran sala del nuevo pabellón cuyas paredes empapeladas atenuaban la luz con sus finos trazados amarillos como si estuviéramos ya en pleno atardecer. Lo adornaban muebles y divanes de gusto neoclásico. Todas las personas allí congregadas fingían una prudencia forzada, con gestos y ademanes de acusado estiramiento y despectiva desatención mutua. Los hombres lucían altos sombreros con hebillas y las mujeres capelinas o sombrillas; de estos adminículos no se despojaban en ningún momento pese a estar en un ambiente cerrado. Tuve la impresión de que estas clases de reuniones eran frecuentes entre ellos, aunque no dejaban de evidenciar, junto a la natural compostura (¡oh hipocresía inglesa!), una disciplina llena de hastío y distracción. Parecían estar sumidos en una grave indecisión. Salvo uno, plantado firmemente en medio de todos. Era un hombrón encorvado, de anchas espaldas y mirada fija y rencorosa, que sonreía todo el tiempo sin que nadie le dirigiera la palabra. En su sonrisa noté la legendaria agresividad del chantagista puritano. Oí que Jonás lo llamaba por su nombre:

—Mr. Pecksniff, deje que se aproxime a nosotros Mrs. Todgers.

Mrs. Todgers tenía el rostro más parecido a un perro viejo que haya visto en mi vida. Me extrañó que al sonreírse no acezara y soltara su lengua hasta el pecho. La mujer apenas podía caminar; entonces me di cuenta que padecía el mal de Parkinson. Al pasar junto a mí oí que emitía unos apagados grititos o silbidos como de serpiente. Además observé, en aquel conjunto de aparecidos, un sujeto bajo y desagradable (casi diría, escurridizo) que se movía haciendo el papel de sirviente. Iba de un lugar a otro, acomodando sillas y desplazando jarrones y floreros, muy temeroso al parecer de que pudiera ocurrir algún estropicio. Respondía al nombre de Gride, como lo supe en seguida al ser irónicamente aludido por un viejecillo mordaz que, desde un rincón de la sala, le reconvino:

—¡Eh, Gride! No olvides de ponerla en una escupidera a miss Knag.

El alboroto que siguió fue general y hasta yo mismo me reí. Pero el silencio helado que cayó después de tan espontáneo jolgorio me hizo volver la cabeza hacia la entrada. Allí estaba la desdeñosa miss Knag, con su cara cuadrada y sus ojillos de araña extremadamente juntos sobre una larga nariz que se ensanchaba hacia abajo y resoplaba con ira contenida. Jonás la recibió casi con alivio, pues a partir de ese momento nadie osó manifestarse. Así fueron ubicándose cada uno en sus diversos lugares, encogidos y cabizbajos como vencidos oficiantes o mistagogos de la desesperación. Únicamente miss Knag (que era la guardiana principal de la casa, según me lo explicó Jonás al oído) permaneció de pie. Su sola mirada enderezaba las figuras y las hacía toser en busca de algún sostén o mitigación. Delante, pues, de esa audiencia, y frente a una mesita de ribetes dorados que Jonás mismo hacía estremecer con sus codos, habló con voz ahuecada que pretendía aparentar una firmeza de la que, quizá por su baja estatura, carecía en el fondo. Previamente (y no sé si para asegurarse de antemano el apoyo de alguien), me hizo sentar a su lado, de modo que sin desearlo dominaba yo con mi vista la presencia de esos seres tan tristes y tan aterrorizados en su circunspección.

—Los viejos psicólogos —comenzó diciendo—, designaban como "fuerza del juicio" al poder de la inteligencia para arbitrar soluciones. Creían que la facultad disquisitiva o teórica enmendaba la realidad. Nosotros ya estamos acostumbrados aquí a que la culpa no proceda de nuestros actos sino de saber merecerla. Cualquiera sea la tropelía que se nos achaque, nos hace valiosos por la tropelía misma. Es el único modo de convertir la humillación colectiva en orgullo personal. Muchas veces me he preguntado si la angustia ante el castigo no es una busca de autenticidad. En ese caso, el dolor corporal descarga la necesidad de padecer ese dolor lo más intensamente posible. Quizá en ello radique la esencia misma del placer, el más caro atributo de nuestra fugacidad. Hoy debemos enfrentar una vez más la exigencia de un crimen. ¿A qué puede atribuirse tal solicitud? ¿A la voluntad de poder, a la imprescindibilidad del crimen en una sociedad organizada, al desconcierto metafísico frente a la existencia padecido neuróticamente por el criminal antes de consumar su iniquidad? Dar respuesta a estos planteos no nos llevaría más que a abismarnos en los supuestos conceptuales de las preguntas mismas. Caeríamos en las trampas morales de nuestra civilización. Pero una declaración de André Breton puede liberarnos de estos encierros y ayudarnos en nuestra pesquisa. Dice Breton: "No nos bastan todas nuestras manos agarradas a una cuerda de fuego a lo largo de la montaña negra. ¿Quién habla de disponer de nosotros, de hacernos contribuir a la abominable comodidad terrestre? Nosotros queremos, y tendremos, el 'más allá' en vida." Pues bien, señores, no se trata de otra cosa que del "más allá". Diremos, entretanto, paradójicamente (¡y basta verlos a ustedes mismos!), que ya nuestra tierra está poblada de muertos y que convendría viajar, lo más pronto posible, a las soñadas "islas dispersas" de lo maravilloso que, incluso, pueden estar en torno nuestro.

Aquí Jonás se rió desembozadamente, friccionándose con fruición sus rodillas mientras tomaba aliento. Al instante, prosiguió:

—En su libro *The Other World,* H. R. Patch habla del *imram* o "viaje a las islas dispersas", el cual es narrado por un superviviente que recalca el elemento maravilloso que las ambienta; ese elemento tan caro a los surrealistas —agregó, volviendo el rostro hacia mí en un gesto de ostensible complacencia y cortesía, como si yo perteneciera a esa secta—. El *imram* es también, por supuesto, un relato, una narración. Hablaremos, pues, de un crimen provocado en función de un motivo tipo *imram*. ¿Quién quiere hacer purgativamente de narrador, es decir, de superviviente que vuelve del reino de los muertos?

—Algo sé de estos viajes de un mundo a otro que figuran en la *Silva Gadelica* de O'Grady, o en los *Old Celtic Romances* de P. W. Joyce, o en los *Ancient Irish Tales* —dijo la vocecita ya cascada de Newman Nogg, cuyo nombre vine a conocer después de su muerte.

Como todos los internados en el Hospicio de Bethlehem, Mr. Nogg tuvo que asumir, al entrar, el nombre de un personaje de Dickens, a consecuencia sin duda de una rígida tradición literaria entronizada allí. Hablaba de un modo conmovedor, debido quizá a su mucha erudición.

—Yo fui San Brendano, como todos sabéis —afirmó el anciano con humildad—. En mis recorridos por las islas vi, como se dice en algunos textos, ratones peludos, grandes como gatos, que devoraban los cadáveres que les arrojábamos desde la borda. Fue un viaje terrible, y a pesar de que veíamos costas tranquilas con abundantes rebaños de ovejas y ríos llenos de peces suculentos, frutas óptimas y pájaros de llamativos colores, no nos detuvimos. Teníamos que llegar a la ciudad de la fe, donde hallaríamos —tal era la promesa— salud para siempre, festines, séquitos de ángeles y hostias que rejuvenecen el cuerpo y dan vigor a los miembros. Por contar otras veces este viaje he venido a parar aquí entre ustedes. Recuerdo mi cuerpo llagado cuyas pústulas ocultas bajo el sayal no procedían de otra enfermedad que de la ansiedad misma. El mar, durante todo el tiempo de nuestro viaje, era de plata o cristal, aun cuando nos moríamos de sed y de fiebre. Un ave radiante anticipó nuestra llegada a Roma. Nos recibió una corte de funcionarios que nos condujo, sin tardanza, ante la presencia de la condesa de la ciudad santa, de extraños ojos muertos, que quería conocer la razón de nuestro viaje. La condesa parecía estar sumida en un sopor inmemorial. Su hijo, de gran corpulencia y voz chillona, hacía las preguntas por ella. Se llamaba Zappo. Nos acosó al comienzo con jactanciosa ironía. Sólo yo conocía la razón verdadera de nuestro peregrinaje. Pero cuando advertí que ellos constituían una sociedad no celestial, sino demoníaca, callé. Me colgaron de un trípode y colocaron debajo de mi cuerpo un gran caldero que fue quemando mis miembros hasta desfallecer. Antes de expirar pronuncié la cifra de nuestro tránsito de ultratumba que no por ello ha de cesar, a pesar de nuestras muertes sucesivas. Dije *imram* y abandoné mi cuerpo como quien se aleja de una mónada.

Mientras hablaba con voz tan quejumbrosa, miss Knag había entregado al escurridizo Gride una gran maza con cabeza de martillo que el hombrecito pasó a Mr. Pecksniff. El hipócrita puritano se colocó detrás de Newman Nogg, le volteó el sombrero y descargó con fuerza un golpe neto sobre la mollera del narrador. El bulto rodó sin un gemido a los pies de la concurrencia. Entre la histeria de gritos y llantos sólo se oían las protestas de Jonás y los llamados de atención de miss Knag que reclamaba orden.

—Usted ve, Mr. Lifar, nuestros sombrerudos no son personas serias. Es una desgracia que nos ocurre a menudo.

El Sepulchretum de Plymouth

La hermosa ciudad de Plymouth, límpida en su aire marino y alegre por sus variados estandartes de guerra, tiene frente a la plaza del Almirantazgo, el más dantesco y escatológico loquero de Occidente. Allí se procura acrecentar la locura por todos los medios, basándose en ese principio de salud que Michel Foucault ha sintetizado admirablemente al decir que "la locura, con todo lo que tiene de ferocidad animal, preserva al hombre de los peligros de la enfermedad; ella lo hace llegar a una especie de invulnerabilidad semejante a aquélla que la naturaleza previsoramente, ha dado a los animales".

Al respecto, se me dice que la animalidad, en su poderío más agresivo, es un estado visionario o de inmersión en la irracionalidad de lo inconsciente y que reacciona con furia toda vez que es distraída, por un estímulo externo, de su estado de alucinación. A esta explicación se suma otra: para avivar hasta lo último esta animalidad luminiscente, aquí se combate la mansedumbre o postración de las criaturas. Se las mantiene en un activismo constante, en un perpetuo estado de acoso, impidiéndoseles sobre todo dormir. El sentido de este hostigamiento radica en que la alucinación debe provenir, en el desencadenamiento de sus visiones o imágenes aberrantes, de la vigilia misma. Esto resulta, por cierto, muy costoso de mantener; exige disciplina, refinamiento, sevicia superior y, en especial, fuerza. Por ello se comprende que nuestro sistema de intensificación de la locura esté basado, para seguir con el autor ya aludido, en la *doma* y el *embrutecimiento.*

Al moverme por uno de sus pabellones me impresionó la gran cantidad de enormes jaulas que llegando a menos de un metro del suelo, colgaban del techo o de pesados travesaños. Todas estaban vacías y sucias, mostrando restos de excrementos y manchas de sangre. Me explicaron que esos jaulones albergaban arquetipos muy valiosos de locura y que sus ocupantes, en esos momentos, o estaban en el hospital de la casa, reponiéndose de excesos ya intolerables para la naturaleza misma, o estaban trabajando en las más penosas tareas de bestias de carga o siendo domados mediante flagelación u otras técnicas de escarnio. Vi innumerables institutores que se movían con el rostro cubierto con máscaras de cuero, como verdugos. Estos funcionarios, que manejan con destreza sus látigos bien engrasados, llevan colgados indistintamente de la cintura, cadenas, cachiporras, manguales y manoplas que usan según las circunstancias.

La tortura, pues, el dolor, la amenaza constante y la más abyecta degradación, constituyen los métodos predilectos de la vigilancia y el estímulo de esta benemérita casa de internación. Pero jamás su sadismo llega al punto del exterminio. Cuando alguien desfallece, por sobrepasar los límites de lo soportable, se lo restituye del modo más solícito, en salas adecuadas de su propio hospital.

—Muy pocos mueren —me dice su Director, que lo es por gracia de Su Majestad—, pero cuando ello acontece nuestros propios instructores devoran con alegría al caído para no dejar el menor rastro de debilidad.

La figura más horrible que vi fue una mujer desnuda y encadenada a un banco, hueco en el centro, por donde segregaba sus excrementos. La obligaban a comer sin descanso. Había adquirido las deformaciones de la adiposidad y su piel cuarteada y rugosa (como la de un elefante) no reaccionaba ya, como pude notar, a los rítmicos golpes de látigo a que la sometían con prudente regularidad. Tenía prácticamente borrados los ojos entre sus párpados y los pómulos hinchados, y las carnes de sus espaldas se encimaban como racimos en los repliegues de sus grandes panículos y rollos desbordados.

—Es nuestra pitia predilecta. A ella le debemos, como a un chamán, los efectos selváticos y paradisíacos más puros cuando grita y se agita en su abrumadora digestión.

Moviéndome entre otros monstruos abominables, a poco andar me llamó la atención un hombre esquelético que colgaba de sus orejas. Dos agudos ganchos, sostenidos por cadenas del techo, las atravesaban. Las orejas se habían deformado de tal manera que el hombre parecía un murciélago. Gesticulaba en el aire con sus brazos y piernas igual que un demonio, y hacía con sus manos ademanes obscenos mientras reía como si gozara de su propio espectáculo. Pero el Director no quiso que me detuviera más tiempo en la contemplación de otros alucinados. Según me dijo, me tenía reservado todavía el ejemplo más alto (o más bajo) a que puede llegar la locura.

Descendimos a unas cámaras subterráneas como hipogeos egipcios, en donde se oían gritos, acusaciones o alegatos, todos mezclados en un rumor tan sofocado que en conjunto formaban una vocinglería semejante a un mar crispado. La verdad que era como oír mis propias aprensiones. Todas las celdas estaban cerradas desde fuera, por grandes candados, y los corredores, aparte de penumbrosos, abrumaban por su extrema fetidez. De pronto se detuvo y con mucho suspenso hizo abrir una de esas puertas. Me invitó a pasar y, al entrar, vi en su interior una extraña fosforescencia. Allí, encadenada y tirada sobre un pajal, había una figura espectral. Su piel brillaba en la oscuridad como si se tratara de una aparición. Los ojos relucían como dos ascuas y sus largos cabellos blancos que se desparramaban sobre el suelo, absorbían un resplandor sobrenatural; parecían estar invadidos de partículas deslumbrantes.

—Por lo que sabemos está así desde el siglo XVIII. El que intenta tocarla sufre después un horrible proceso de descomposición de su carne. No sabemos si es una figura real o un arquetipo platónico. Pienso que ella ha alcanzado la sustancia lumínica del sueño.

Para mis ojos aquella presencia no era otra que la de la condesa Messina. Entonces recordé, casi de un modo acuciante, el motivo de mi visita allí. Al propio tiempo, alcancé a oír con nitidez las voces del prisionero de la celda contigua, cuyas palabras reproducían la cifra del viaje a las islas dispersas del más allá. Pedí que me llevaran a él. Al abrirse la puerta de su celda me sorprendió ver cómo la figura allí encadenada pataleaba y se debatía, al parecer en lucha constante, contra el acometimiento de ratas furiosas. Cuando volvió el rostro hacia mí descubrí que el recluso era Estebanillo.

Salí del *Sepulchretum* pensando que aquel hospicio correspondía a una fragua del sueño. Allí, sin duda, estaban nuestros verdaderos seres, es decir, nuestros arquetipos, encadenados, torturados, acosados por un martirio sin límite. En la infernal energía que los sostenía, imaginé que ellos eran los seres absolutos e inmortales que ha forjado el inconsciente, los cuales proyectándose en nosotros, en otros niveles de la realidad, reiteran su alucinación, a la vez que nos arrastran a una irreparable condenación. No sé si regresaré, pues pienso buscarme a mí mismo allí, para destruir en mi doble (o quizá en mí) toda esta abyección que me abruma.

9

A partir de entonces todos extrañábamos de algún modo la ausencia de Lifar. La condesa, entretanto, le enseñó a Bettina el arte del suctusstupratio y, en adelante, solía distraerse, en medio de nuestros devaneos, haciéndole practicar (o provocándole ella misma) esos fáciles éxtasis o técnicas místicas (según Zappo, de origen cretense), cuya iconografía es tan rica en la historia general del arte, sin olvidar, por supuesto, su toque sublime en l'Ecole de Fontainebleau.

—Bettina alcanza, en estas experiencias, la misma atonía del rostro de la Duchesse de Villars —comentaba *ad majorem gloriam* Jessup.

Pero el embajador Belial, que padecía ahora de orquialgia, sufría con estas escenas. Sólo yo estaba aterrorizado.

Jessup había conseguido instrumentar una vía de acceso al inconsciente, como un aedo que nos propusiera, de nuevo, un descenso al reino de los muertos. Consistía en reproducir los mismos efectos de la *p'tite mort,* mediante el uso de gasterópodos, lombrices, culebras y cerastas sobre el cuerpo desnudo. Sin descontar las lastimaduras y rastros urticantes, con ello se lograría, según el Yahoo, reunir en un solo haz de sensaciones dispares el tema del envolvimiento materno (como el de un mar lascivo) y el de la devoración (como el fuego), tal como se propugna en los mitos de renacimiento de las arcaicas fiestas hierogámicas. En estos casos el cuerpo solitario, convertido por sí mismo en un vehículo narcisista, reproduce su propia abstracción o vacío. No hay que olvidar que el cuerpo es como un árbol "preparador de cadáveres". Su verdadera riqueza son sus innúmeras muertes, trances letárgicos que hilvanan o tejen inversamente el sentido de la eternidad. Sólo así es posible asir la flor pura del inconsciente que los sueños y los sentidos dispersan en imágenes o estremecimientos esporádicos. El placer es el esplendor del terror y, al experimentarlo auténticamente, la vida se integra al cosmos como una rueda de sol.

—Pero esa flor no es sino una personificación del inconsciente, es simplemente el *anima* de Jung —refutó Zappo levantándose con visible pesadez—. Hay que volver siempre a la primitiva demonología. Los animales ya no son más que símbolos de dolencias estereotipadas. El acoso hay que buscarlo en los rincones, sumideros o escondrijos de la propia realidad cotidiana. Por ese camino se ha de seguir. Nuestro viajero será este liróforo del miedo, nuestro Estebanillo. Él nos traerá, como un emisario, la clave de su liberación.

Y acarició mi cabeza, remesándome los cabellos con su fina mano de lagartija que no guardaba proporción con su figura gigantesca y ventruda.

—Fernalio será, hasta donde pueda, su palinuro.

Con él descendí, de noche, hacia el Pontecorvo, tomando un callejón lateral que parecía ya estar invadido por esos vientecillos mordedores que el Tíber desata a esas horas. Un olor pestilente de muros lamidos por la humedad dejaba, con todo, una sensación de liviandad que movía a una extraña ternura por la fetidez misma. Fernalio sacaba migajas o cascaritas de pan de uno de los bolsillos de su saco y sin disimular su avidez los embocaba desde relativa distancia, con un movimiento diestro de su mano. Que ese sustento no se le acabara nunca constituía ya un misterio para mí.

Luego de empujar una puertecilla desvencijada que apenas se veía ya entre las sombras cada vez más cerradas del maloliente callejón, entramos por un estrecho y largo pasillo a cuyo fondo ardía una lamparilla aureolada de insectos. Pero antes de llegar al final mi acompañante se arrodilló en el suelo húmedo y a modo de contraseña, con voz ahogada, dijo *"Hokus pokus"*, hablando por la boca de un caño de desagüe. Instantes después hizo rechinar los goznes de una entrada fingida que se abría sobre la pared misma. Descendimos por escalones irregulares a una especie de cueva que, como un enorme ojo, parpadeaba con los resplandores de una hoguera encendida en su centro. Tuve la sensación de hallarme en una verdadera espelunca romana, en medio de esclavos o primitivos cristianos perseguidos, llena de lamentables rumores o saturada por las emanaciones de sus rituales esotéricos.

Nos sentamos en un poyal que sobresalía de la entraña misma del muro y allí nos quedamos, con la espalda rígida pues la saliente era tan exigua que nos obligaba a mantenernos en un constante equilibrio del cuerpo. Mientras un bailarín con máscara danzaba en torno del fuego, se deslizaba de mano en mano, en la semipenumbra, un objeto redondo que cada asistente sopesaba y hacía circular. Cuando llegó a mí entonces descubrí que era una cabeza humana, con su piel todavía blanda y sus orejas heladas. Fernalio advirtió mi turbación y al recibir con una sonrisa aquel presente, me señaló con un gesto el cuerpo del decapitado que otras figuras ahora arrastraban hacia la hoguera.

—*Hoc est corpus* —susurró irónicamente a mi oído, a la vez que hacía chasquear su lengua entre los labios.

Siguió una lenta procesión de oficiantes que hincaban largas agujas en el cuerpo exánime y volvían a sus sitios. Por su parte, la cabeza ambulante retornó al tronco del que había sido separada y la tensión del sacrificio amainó. Envolvieron los despojos en una manta. Rápidas y habilidosas manos fueron juntando sus dobleces hasta que al fin quedó cerrada como un bolsón. El bulto vino a parar a la espalda de un negro gigantesco que, renqueando, desapareció por un hueco o galería de uno de los rincones de aquella gruta.

—En realidad, llegamos tarde —me dijo Fernalio—. Este sacrificio viene del antiguo reino de Osiris y, en su origen, afirmaba la esperanza de que pudiera también merecer la salvación eterna el hombre común. Pero algunas ramas del chamanismo africano, influidas sin duda por cazadores o traficantes de esclavos, en su celo por mantener esta tradición ritualizada, la ha deformado finalmente. Es posible que una espuria mezcla de versiones escatológicas que confunden el Hades griego e, incluso, el *scheol* de los judíos, con una forma de menosprecio hacia la muerte misma, haya contribuido a ello. Lo cierto es que la han convertido en una ceremonia de afirmación criminal sobre la muerte. Se mata al que quiere ser libre para que lleve al seno de la caverna de la muerte su protesta rabiosa. El chamán que ejecuta esta función punitiva (y que es el mismo que danzaba en torno del fuego), por razones de pureza demoníaca, no es africano; viene de un remoto pueblo de la Polinesia. Es un *toradya* de las Islas Célebes, vale decir, un auténtico primitivo. Se lo considera un semidiós. Lo alimentan con costosas especies que proceden de Oriente y que pagan nuestros neófitos con grandes sacrificios personales. Cuando muere, ellos resguardan el privilegio de acceder a su naturaleza divina, al entender como un carisma o anticipo de la salvación el participar de su devoración.

Mientras me hablaba de estos misterios de iniciación, el antro había comenzado a vaciarse de sus adeptos. Fernalio me condujo, a continuación, por un túnel excavado en la roca viva. Así anduvimos durante largo rato por ese laberinto que, a mi juicio, descendía cada vez más a las entrañas de la tierra. De pronto llegamos al pie de una escala de soportes de hierro que ascendía por el orificio de un alto cilindro; su estructura me hizo pensar en una torrecilla sanitaria. Trepamos por ella con algún esfuerzo hasta llegar a una plataforma intermedia, a cuyo fondo había una puerta de metal.

Fernalio la abrió, apoyando todo su cuerpo para que cediera. Al trasponerla, nos encontramos en una rotonda llena de puertecillas laterales.

—Son nuestras prisiones —expresó. Y siguió adelante, subiendo por unas gradas rotas que llevaban a otra salida.

Ahora el aspecto del lugar había cambiado totalmente. Nos encontramos entre muros y puertas que más bien se asemejaban a un pasillo de hotel. Sin llamar, entramos a una de esas habitaciones; allí advertí la presencia de varios individuos que en diversas posturas estaban acodados sobre una mesa colmada de botellas y platos a medio comer. Eran hombres barbados que ocultaban la mitad del rostro bajo las viseras de sus gorras de marineros. Algunos usaban suestes. Sus capotes olían a esperma.

—He aquí a nuestros traficantes de los Sargazos —me dijo—. Ellos intercambian sus cargamentos de esclavos por oro, como los antiguos negreros de América.

Hablaba, en verdad, como si ya le faltara la respiración.

Nos sentamos con ellos, pero lo que a continuación pasó, sucedió en un segundo. Las figuras se irguieron y amenazaron. Fernalio se mantuvo imperturbable e inmóvil. Nos increparon. Luego, a empellones, nos sacaron escaleras abajo y nos introdujeron en un furgón. Al llegar a destino y descender de aquel encierro vi que nos encontrábamos en el extremo de un muelle, frente a un carguero cuyo nombre estremeció mi ánimo con desesperación, ya que con él parecía consumarse una maldición. En el lado visible de su quilla se leía: *Imram.* Subimos a bordo, sin poder aligerar nuestros pesados pasos de condenados. Con todo (y a pesar de sentir mi conciencia poco menos que endurecida como una roca) pude admirar por encima de las barandillas del barco, las aguas tenues del Tirreno que se balanceaban y brillaban al trasluz de un resplandor verdoso, como si aquel antiguo mar estuviese iluminado en sus profundidades. Nos hicieron bajar por una estrecha escotilla y en un rincón de un subsuelo resbaladizo nos encadenaron, abandonándonos luego. Allí permanecimos largos días y noches, entre nuestros hedores, rodeados de ratas furtivas que se acercaban a nosotros con curiosidad. Algún tiempo después nos hicieron subir a la borda, donde hubimos de limpiar la cubierta, acarreando bultos pesados o arrojando basuras al mar. Nos alimentaban con trozos de carne salada y agrios brebajes. Mientras dormíamos en la bodega del barco, oíamos sollozos, toses o quejidos de hombres y mujeres que suplicaban o gritaban bajo rudos golpes. Un día nos hicieron bajar a la playa, en medio de tenderetes y redes puestas a secar. La playa y el cielo de esa región mordida por vientos helados, eran inmensamente grises y el sol parecía morir sobre el horizonte. Vi que el cuerpo y el rostro de Fernalio estaban llenos de lacras. Entonces advertí mi propia ruina física. Pero él sonreía. Me dijo: "Mi cuerpo está ya tan corrompido como la religión, el arte o la filosofía. Somos la caricatura de una neurosis obsesiva. Giramos en un círculo: nuestra manía paranoica de creer que no nos morimos nunca." El mar rugía. Como una cabellera, en medio de la resaca de la costa, agitábanse sus algas untuosas y lascivas. Sin embargo, todo aquello no duró más que un instante. Cuando recapacité, volviendo en mí, la reunión se mantenía en su punto inicial. Los traficantes seguían con sus codos clavados sobre la mesa. Nadie hablaba. El silencio abrumaba como una presencia imputrescible.

10

Dio un vuelco en el lecho. "Me temo que haya mucho de autoexploración en ese sueño", oyó que dialogaba él mismo con su conciencia antes de despertar. ¿Es que soñaba con nacer de nuevo? Todavía en otro ámbito o pantalla de la mente seguía proyectándose la acción en cuyo transcurso los asesinos bajaban en tropel por las dunas, persiguiéndolo. "¿Cómo podría?", se preguntó entretanto, sintiendo ya muy cerca las aguas voraces. A esta altura se irguió con el corazón agitado. Tenía la frente y el cuello bañados de sudor. Sobre una silla esterillada colgaba su ropa en desorden. Otras prendas yacían sobre la mesa y la cómoda. Miró a su alrededor y desde su cama vio, en el suelo, sus negros zapatones abiertos como bocas de escuerzos. ¿Eran esos sus pasos? ¿Cómo había venido a parar a ese cuartucho?

Ahora recordaba todo. Y se sonrió o creyó sonreír detrás de su máscara adormilada, al rememorar (con la voz de Fernalio) una frase de Swift que había quedado suspendida en su atención desde la noche anterior, como un aviso: "La semilla o el principio que ha puesto siempre a los hombres ante las visiones de las cosas invisibles, es de naturaleza corporal." Entonces percibió que su cuerpo también despertaba a sus necesidades orgánicas. Al fin y al cabo, pensó, *inter urinas et faeces nascimur.*

—Pero la miscegenación es una de las formas más caras del pillaje —gritaba, enfervorizado, Fernalio en su memoria, con lo cual volvía a su sueño anterior.

Aquellos lobos de mar eran además unos libertinos. No lo hubiera creído nunca. En la misma habitación donde estábamos, fornicaban sentados, a la vista de todo el mundo, sin sacarse siquiera sus largos capotes y gorros. Luego continuaban bebiendo y discutiendo a ultranza, con ardor, como locos babélicos.

—That story will not hold water —replicó uno de ellos, airado.

—Nein, was sagt sie uns für Unsinn vor?

—. . . terpi bestschislennije muki —se oyó canturrear a otro, intencionalmente, con los ojos en blanco y el mentón apoyado en la mano.

—Questo cretino va a scoppiare dalla bile —ironizó el jefe ante la pasión polémica del romano.

Sin sentirse aludido, Fernalio se serenó y volvió a sentarse. En silencio llenó otra vez su bolsillo de pan y con fastidio retomó su viejo hábito de engullir al vuelo, como un perro. Ninguna de las prostitutas había querido acercársele.

¿Pero tú, Estebanillo, de qué sueño retornas? Si lo viera Zappo ahora mismo entrar en éxtasis y (¿borracho?) orinarse largamente en ese camastro todo revuelto, a no dudar le describiría su incontinencia como el reflejo de un complejo de castración mal reprimido: "Orinas porque quieres resucitar todos los animales de tu fantasía, lamias, pitones, serpientes de muchos cuernos, para que ellos vuelvan sus fauces sobre ti y emasculen tus órganos. Es el sentido etiológico de hordas primitivas que todavía acechan en tu instintividad." ¿No es así viejo Príapo?

Se vistió en medio de aquel desorden y allí estaba otra vez ante sí mismo, formulándose para sí el gran mito de la historia universal que lo reinstalaba en su mundo, héroe al fin, con su ropa desarreglada, su cara sin afeitar y el pelo enmarañado. Al salir dio una costalada sobre el callejón empedrado, bajo un sol de oro que, a esas horas ya había proscripto la nauseabunda hediondez de esos muros chorreados. Un gusto a sal tenía el aire de la mañana y su cielo azulísimo daba nitidez y brillo al contorno de los edificios. Llegó en un taxi a la embajada. Jessup lo recibió con admiración.

—Su aspecto patentiza obviamente un acto de consentimiento que lo enaltece. Ya conoce usted la definición de Ferenczi acerca de la introyección, en cuanto dice que "el neurótico acoge en sí lo más posible del mundo exterior y lo hace objeto de sus fantasías inconscientes". Pero usted ha hecho de su persona un milagro de creación. Rebosa fetidez por todas partes. Ahora es usted mismo en lo que realmente quiere ser. ¡Y así lo necesitamos!

Lo condujo rápidamente ante el embajador, quien, desde muy temprano, lo esperaba ansioso en su despacho, paseándose en pantuflas y pijama. En su cabeza exhibía un blanco gorro de dormir con una borla que al menor movimiento le golpeaba la nariz.

—¡Frau Hölle quiere perdernos! —gimió al verlo tomándolo de las solapas, en un tono tan lastimero que mucho le recordó las imitaciones que de él hacía Bettina al parodiar sus súplicas eróticas. Ahora se explicaba por qué ella nunca había condescendido a aliviarlo de sus urgencias.

—Se le ha puesto en la cabeza hacer ingresar a nuestro país en su comercio de esclavos. Me promete como recompensa ablandármela a Bettina —dijo friccionándose ahora las ingles—. Le he manifestado a la condesa Messina que nuestro pueblo no está todavía maduro para merecer este beneficio de las grandes civilizaciones. Pero Zappo intervino, en ese momento, riéndose de mí: "Ya hay allí suficientes ricos, familias de comerciantes y explotadores públicos que se han vuelto patricios." ¡Ay, no sé qué hacer!

Y puso un gesto de conmiseración que Estebanillo calificó íntimamente de emético. Jessup, entretanto, se había dedicado a darle masajes al embajador en sus hombros y espalda. Y sin distraerse un instante de tan inusitado menester, habló todo el tiempo detrás de Belial quien se retorcía y acomodaba ante tales fricciones con vívidas muecas de dolor y de placer.

—Ustedes padecen, por lo visto —dijo Jessup—, de taras ideológicas, pues es bien sabido que los esclavos, cuando existen, ni fuerzan la paz de un país, ni conquistan su suelo ni construyen estados internos. Ellos existen como las piezas de soporte (andrajosas, es cierto) de un estado de fuerza. Para Hitler o Stalin, por ejemplo, el esclavismo fue el ideal supremo que orientó sus planes secretos de organización social. ¡Y no hablemos de aquellas sagradas instituciones esclavistas de la Hélade o el Imperio romano! Esa forma de avasallamiento es lo que mejor refleja, de la naturaleza humana, su poderío y sentido de lucha por la hegemonía del mundo. Además, en otro orden de cosas (¡y aquí describo lo que realmente le importa a la condesa Messina!), el esclavismo intensifica esa *virtus* tan descongestionante del ejercicio del poder, como es crear infinitas prescripciones y permitir, sin indemnizaciones, merced a los esclavos mismos, la consumación de crímenes privados y continuos. Ustedes suelen decir que vuestro país va en camino de convertirse en una perfecta organización de obreros. Pero eso denuncia un proceso de inversión sexual, de pederastismo colectivo. No olvidéis que el surgimiento de nuestro Occidente, que se alzó sobre las ruinas de arcaicas tradiciones ginecocráticas, provino de la instauración de un orden varonil sobre la tierra, lo cual ya se percibe muy bien en los poemas homéricos, con sus héroes trágicos y astutos y su Zeus primordial. No quiero apelar aquí a Nietzsche ni a su *Übermensch,* pero todo estado de fuerza recoge esa noble herencia (catastrófica, por supuesto, para los débiles) de hacer del hombre libre una fuente de terribilidad. Sólo así se hace sensible su ambición de aspirar a la eternidad, aunque sea por la destrucción de todo lo temporal. En este sentido el esclavismo le sirve de base, ya que conforma el escenario de lo purgativo. Se trata de una estamentización social de dolor y desgaste permanente que, por lo mismo, jamás lleva a crear nada nuevo. Por ello sostengo que el esclavismo es la única respuesta a la tan cacareada lucha de clases que aprovechan ahora maniqueos y demagogos. Y ya que he usado antes el término andrajoso, pienso que todo estado de fuerza, aun cuando llegue a ser andrajoso por la miseria y el sufrimiento de sus esclavos, no niega ni oculta, al fin de cuentas, la grandeza trágica de nuestra voluntad nihilista. Para terminar, y como ha dicho Freyer al hablar de la Roma antigua y sus excelsas tradiciones, expoliaciones y asesinatos en masa, "en el peor de los casos, es estado en andrajos, pero sobre estos andrajos puede uno intentar atraerse hacia sí el todo".

Durante el tiempo que habló, llevado sin duda por el entusiasmo que le insuflaba su propia oratoria, fue estregando al embajador Belial con tanto ardor que éste quedó al final tan exhausto que apenas podía sostenerse en pie. A su vez, con un hilo de la voz que, por contraste, no era, sino el reflejo de su más íntimo anonadamiento ante la baladronada del Yahoo, Estebanillo arguyó con timidez:

—Podríamos empezar con Paraguay.

Zappo fue quien más festejó esta ocurrencia. Al recibirlo, un rato después, en uno de sus aposentos privados, estaba disfrazado de emperador romano, con una toga festoneada de ribetes de oro y sandalias incrustadas de piedras preciosas. Ceñía su pelo una corona de laureles y se sonreía recostado en un lujoso *bisellium* de terciopelo rojo. A sus pies yacía Bettina, apenas cubierta por un leve peplo transparente. Bettina no pudo contener la risa al ver la traza desgreñada de Estebanillo.

—He aquí nuestro más famoso negrero sudamericano —exclamó Zappo. Luego, exagerando su papel mayestático, le dijo—: Viaja, hijo mío. Convierte en destierro tu propio negocio. Pero antes cúrate de tus ardores como el rey René de Anjou que embarazado por el peso de su armadura, al caer al agua y a punto de ahogarse tras haber enfrentado en un estrecho puente a un flamígero monstruo, fue salvado por una sirena que desde la orilla le tendió su mano.

Señalándola a Bettina, agregó con displicencia:

—Tómala. Y no la juzgues menos providencial a causa de su *hybris*.

Bettina protestó, alegando que el rey al menos se había caído al agua, en tanto que su marido parecía haberse hundido en un estercolero o en el lodo de una cisterna.

—Entonces, flagélalo con el mismo lazo del amor —ordenó.

Estebanillo quiso reaccionar al primer latigazo de su mujer, pero rápidamente Jessup lo tomó de los codos, por atrás, y ambos fueron golpeados al mismo tiempo, con ahinco, mientras Bettina improvisaba, a medida que se enardecía en el castigo, una danza liberadora de crueldad y humor, Jessup, por su parte, gritaba a cada golpe con creciente fervor:

—*Wieder, schnell, verfluchte Sau!*

En medio de esta escena y precedida por dos grandes negros que golpeaban tímpanos y atabales, avanzó la condesa vestida de papisa, con una mitra encasquetada en la cabeza y una gran casulla de raso bordado que colgaba casi vacía de sus esqueléticos hombros. Detrás de ella, una corte de extraños penitentes portaban pendones en lanzas puntiagudas. El cortejo fue distribuyéndose alrededor de la amplia sala, al tiempo que Zappo, ceremoniosamente, conducía a la condesa hasta el sitial que le estaba reservado y que lucía bajo un dosel de borlas y colgaduras adornadas con guirnaldas.

Aquietadas ya las personas en sus lugares establecidos, se lo vio entrar entonces al embajador Belial, solo. Venía disfrazado con un traje de bufón, semejante al de Arlequino, con sus remiendos triangulares de diversos colores y su sablecito de madera. Pero su originalidad consistía en haber incorporado a su figura una corcova ficticia que le deformaba el cuerpo y le doblaba la cerviz. Al andar hacía sonar sus cascabeles. Así se adelantó a la condesa mientras, de paso, echó sus viles ojos sobre el cuerpo de Bettina que lo estimuló con un leve movimiento de cabeza. Renqueaba el embajador y todo el mundo descontaba que algún día desembocaría sin atenuantes en la elefantiasis.

Colocaron un banquillo en el centro del recinto y, de pronto, se produjo un cuchicheo entre los asistentes cuando dos enormes sirvientes entraron arrastrando poco más o menos a un viejecito de cabellos alborotados. El anciano sonreía y saludaba a diestra y siniestra, pataleando y agitando sus manos en el aire. Sentado ya, se encogió como un mono y comenzó a agitarse con risitas histéricas. Zappo se levantó y peroró con su voz aguda a los presentes:

—Este es un mortífero enemigo que nos persigue a través de los tiempos. Sus muertes ejemplares al parecer no le bastan. Conoce todas las tretas de la resurrección. Pero, por lo que se ve, aún en su maligna inmortalidad, envejece sin remisión. Miradlo, está tan tonto el pobre que se babea en su demencia senil. Sin duda ya ha perdido el objeto de su misión en la tierra. Mas no debemos engañarnos con falsas piedades. Matarlo es lo de menos porque lo que menos vale de él son sus cadáveres sucesivos que, al final, acabarán por apestar el mundo. Toma cualquier forma, incluso la de los seres más desdeñables o humildes. Pero esta vez hemos tenido la suerte de sorprenderlo en su verdadera presencia. Lo hemos recogido de la calle, donde mendigaba. Procedamos, pues.

Avanzaron los penitentes y se ubicaron en círculo en torno al mico que todavía sonreía (o gimoteaba). Contra él dirigieron sus agudas picas con pendones, y sólo cuando la condesa graznó, dando la orden, hundieron sus puntas en el cuerpo del desdichado que lanzó un débil aullido, casi plañidero. Se debatía a ratos espasmódicamente, y en ese temblor fue elevado por los aires y suspendido sobre aquellas viejas lanzas medievales.

—Ahora no andará diciendo que nació, entre varillas, sobre aguas mansas —sentenció Zappo con desprecio.

11

Dos películas o tiras cómicas del sueño se proyectaban simultáneamente en su conciencia al despertarse de nuevo en el mismo cuartucho en que amaneció la noche anterior. ¿O seguía siendo todavía la misma noche de los traficantes, con sus diálogos de poliglotos, sus jarras de aguardiente y sus mujerzuelas agresivas y descaradas, una de las cuales lo arrastró (¿o él la arrastró a ella?) a un cuarto contiguo, con su cama hundida y de olor ácido, en la cual al parecer continuaba reposando?

En la primera tira cómica se veía caminar, junto a Bettina, por la alta terraza doméstica de la mansión de la condesa, luego de la ceremonia del ajusticiamiento. La ropa que él vestía olía a letrina, a excremento de animal, y eso lo avergonzaba, impidiéndole hablar.

Bettina en aquel momento le señalaba la luna roja que se levantaba sobre el horizonte, entre los cipreses de la colina del huerto. Estaba mareado, como si soportara una fuerte dosis de algún analgésico. ¿Qué filtro le habían dado de beber? No era, por cierto, el que estimulaba los arranques satiriásicos de Lifar, aunque sentía que padecía, detrás de la intoxicación, una inocultable *folie du désir*. ¿Pero, qué pasaba después? No podía precisarlo (aunque rememoró de pronto las imágenes de sus asesinos que bajaban entre las dunas). No obstante, algo lo inducía a pensar que él se había lanzado sobre el cuello de Bettina, queriendo arrojarla abajo, desde las balaustradas.

En la otra secuencia, lo llevaban tirado sobre el piso (¿de un furgón?), la cara aplastada contra el suelo, con el pie de uno de sus raptores pisándole la espalda a fin de inmovilizarlo. Oyó que hablaban de documentos de la embajada y de un código secreto que él tendría que revelar en sus claves. "Ah, ése es el motivo", se dijo. Y dejó que la sola respiración le restituyera las fuerzas. Tenía los ojos vendados. Al bajar, anduvo a empellones; subió a un primer piso por escalones de madera que creyó reconocer. Era el mismo pasillo del hotelucho, como que a escaso trecho lo hicieron doblar a la izquierda. Luego de entrar a una de sus habitaciones que olía a encierro y humo de tabaco, lo dejaron caer en una silla donde lo maniataron. Le desgarraron una manga del saco y casi inmediatamente sintió el pinchazo de una inyección. No pudo precisar lo que a continuación pasó. Lejanamente se oía a sí mismo hablar. Hablaba sin saber lo que decía, aunque oscuramente comprendía que el pentotal lo llevaba de una orilla a otra. Su voz tremolaba, sonaba con una ronquera desconocida como un sucio torrente que se vaciara en una alcantarilla. Sintió que esas mismas aguas lo arrastraban, anudándolo con sus hilos sutiles. Dio un brinco en el lecho y se despertó. En medio de un caos de colchas revueltas la mujerzuela todavía dormía pesadamente a su lado. ¿A ella también la había orinado? La mujer dormía a pata suelta. Y dudó.

Should I the Queen of Love refuse,
Because she rose from stinking Ooze?

SEGUNDA PARTE

EL HOMBRE DE LOS MUERTOS

1

Sentía la cabeza pesada como un fardo. A sus oídos llegaban los relinchos de los caballos y el vocerío de los penitentes que, al parecer, seguían tan inquietos y a la expectación como la noche anterior. Por reflejo se golpeó una vez más el cuello con la mano, respondiendo así, instintivamente, al grito de ese velador alerta que entre sombras, asomándose a los parapetos y buhardas, había vigilado de pie, durante toda la noche, junto al muro y al foso de su sueño (¡oh!) almenado como un torreón. Ese insomne y famélico trovadorcillo no había descansado, en verdad, ni un instante, ora rascándose, ora canturreando o alardeando como un loco (o como viento de tronera) contra el minúsculo invasor, para que el inconsciente colectivo moviera sus viejos resortes de defensa, manotazos como catapultas, golpes de arietes, rodelas en batimientos o el mismo aceite hirviente de sus uñas sobre el cráter punzante de las picaduras. O lanzazos. Que aun en su desvelo, como todo erudito, no quiso desperdiciar la ocasión de citar para su regusto, oh filatero:

Mira las campañas llenas
de tanto enemigo armado.

Pero su cuerpo legendario, ruinas de Delfos o matriz del mundo o castillo de Montségur, se esparrancaba entretanto de mil formas, sudando bajo el duro jergón que, para colmo, no le llegaba ni siquiera a los pies. Felizmente el zumbido de los mosquitos con su asedio de saeteros nocturnos había cesado al crecer el alboroto de las gentes o ante la luz de aquel amanecer violento que ya le llegaba al tuétano aunque fingiera dormir. Un deslizamiento de angustia galicana o comisarda con algo de irrisión de humo de hoguera. Porque había algo más entre todos los malestares para seguir mortificándose, y era ese canto de burla que todavía retumbaba en su cabeza como si llevara un bacinete, la intermitente y mordaz cantinela de los occitanos:

Kak-Od Deus! Kak-Od Deus!
Dormez-vous? Dormez-vous?

¿Qué significaban al fin de cuentas aquellos cacareos de trasmundo? ¿Y esa visión de la tierra de Oc, vista de repente en los surcos de la inmutable liturgia de sus sueños? Una tierra destinada al fuego, según había leído. *Bel tsibalhé!* ¿Provenía aquello del ritmo irresistible de una guerra en la devastación de su sueño? ¿Por qué entonces volvía a recrudecer para él ese álgido horror vivo del viejo gallo de los *cagots*? ¡Despertar, despertar siempre! Sin embargo continuaba tan ensimismado en su pensamiento como aletargado en su abandono. ¡Ale, ale, follón! ¡Deja esa historia pútrida de tus desvaríos oníricos! Mejor será despenar ya mismo al dios leproso que aguarda afuera, entrampado muy cerca de tu cabaña.

Miró no obstante con ojos legañosos el día, frunciendo el entrecejo como un animalejo desorientado. La verdad era que su pensamiento se obstinaba en seguir funcionando como el de un cerebro de casi diez siglos atrás, cuando se quemaron los primeros cátaros en Toulouse. Así pudo entender que su flojedad e indecisión en levantarse bien podía deberse al influjo zodiacal del salto de Aries sobre Virgo, para holgarse con ella, dejando por aviso, en la alegoría del cielo, un embrollo, con Acuario luctuoso bajo el dominio de Saturno y a Mercurio, solo, influyendo con ira sobre

Tauro. Pues no otra cosa parecía el día: un desmantelamiento de los cuerpos celestes ante el resplandor de esa *porta arietis,* abierta de par en par.

Recordó entonces que Bettina desprendía una emanación extraña; tenía gusto a azufre en los cabellos como consecuencia de la misma exudación que producían los pantanos en aquellas desoladas planicies del Paraguay, al pie del escarpado monte de Ariega.

Al lado de la cama lo esperaban sus botas con sus suelas con clavos como las de un alpinista. Y más allá, oh, más allá, la espada con que debía ajusticiar (una vez más) a San Brendano que a esas horas seguiría sujeto, junto al cerco de la caballada, al único cepo disponible en tan gloriosa sociedad de nómadas. En su desesperación el santo había comenzado a mostrarse poco menos que insoportable a la caída de la tarde, y tan clamoroso bajo el brillo de las estrellas que hacía temblar de llanto a los demás *crestias* esclavos. Ahora, pensó, si lo dejo vivo se nos va a achicharrar entero con este sol maldito venido de la orilla del río, un sol en verdad más negrero que nadie, como que ya estaría asestando sobre el lomo de los segregados su látigo viscoso y mordiente, después de haberlo mojado y sacudido en las aguas legamosas del Paraguay.

Con todo, lo peor era el fervor devorante de las moscas en torno de aquel mártir, verdadera irradiación de las enervantes voces de la carroña; en su vibración parecían adorar sus llagas hasta los límites de la putrefacción. Tales pústulas (medievales o celestiales) habían vuelto a florecer en el cuerpo de un supuesto viking, un arcángel de belleza en medio de ese hato de condenados, todos rotosos y esmirriados. La iridiscente criatura, luego de potentes fiebres y alucinaciones, empezó a deformarse y corromperse en su carne, hasta adquirir la misma imagen del vil patrono, azogue del alma o tránsfuga de la muerte, que bien se merecía tal desenlace por su fama de hipócrita. Pero su ajusticiamiento estaba señalado (y así lo había prometido) para cuando terminara su crónica de viaje, todavía a medio hacer y postergada mil veces por el lento traslado de esa procesión de seres hundidos en el infierno.

Pensó con ironía en la indestructibilidad del santo, su irse o transfundirse en una *tópica,* más allá del tiempo, ya que "nada termina, nada pasa, nada se olvida en el inconsciente", como dice Freud. Y volver desde allí una vez más en lucha constante contra la vida. ¿Cómo corporizar entonces una muerte definitiva y aniquilar esa metáfora de lo indestructible que es la *tópica* en la que él se envuelve, acallando por fin las pústulas de nuestra existencia degradada? Su propósito no era tratar de concebir un espacio pleno para una vida sin mácula, sino entrar decididamente en ese marco psíquico o escenario de la eternidad donde se entrecruzan las cosas y los sufrimientos, pero ya sustraídos del vano juego de la vigilia y el sueño. Sólo la memoria (verdadero espejo de lo inmutable) no distingue lo cercano y lo lejano. ¡Y allí es donde él acecha, transido en su expurgación! Con las huellas mnémicas de lo pasajero reproduce el flujo de una idea paradójica: la de la vida superior, la cual por analogía con nuestra vida también parece un espacio alucinatorio que los sueños pueblan y caotizan con falsas imágenes del más allá. Oh, su inmortalidad, un vacío que mezcla el terror, la crueldad y la culpa.

2

Al levantarse miró por la ventana, desacostumbrado todavía de los albores del amanecer. Y se distrajo con el humeante horizonte que descendía hacia los esteros del río. La luz tomaba allí los reflejos azulados de una atmósfera caldeada y casi pútrida. Luego observó alrededor y no pudo dejar de sonreír al ver a Bettina, con sus breeches y casquete de exploradora, aproximarse al pestilente llevando en sus manos una ancha vasija y verterle lentamente, casi con delectación, su contenido, una agua blancuzca que mojaba su cabeza y se escurría por las curvas de su cuerpo llagado. Estuvo a punto de gritarle desde su rincón: —¡No gastes tanta sal en tal ensalmo! Pero Bettina no hubiera obedecido. Se divertía en su papel de samaritana. Al recibir el frío escocedor la figura se encogió y le pareció que bramaba. Pero recordó a tiempo la teoría del *non ego* de Zózimo, recomendada por Jessup para casos semejantes, cuando el ánimo de un tercero tienda a desfallecer ante las incitaciones del demonio a cometer un acto de falsa piedad: "Lo que está adentro está también afuera."

—No es posible el enmascaramiento —le decía en aquella ocasión—. Por ello hay que extremar el dolor, de modo que sirva de puente entre la bazofia del mundo y el acaecer límpido del inconsciente que es, con relación a la conciencia, su metal luminoso de trasfondo.

Cuando habló así (ahora lo recordaba) el benemérito Yahoo, sentado en un columpio mientras se hamacaba, cumplía con sus funciones defecatorias y regaba con sus miasmas el suelo de uno de sus aposentos privados, usado a tal efecto. Era su ritual más caro y en él lo asistían dos negros religiosamente adiestrados, quienes recogían al final sus deyecciones una vez que las necesidades de su narcisismo odorífico estuviesen satisfechas. Durante tal sesión, Estebanillo había permanecido frente a Jessup, poco menos que acurrucado en un banquillo bajo y sin ningún apoyo que le permitiera una distensión.

En medio de sus hedores, el corrosivo jumento había proseguido con intención capciosa en su perorata:

—Adviértole que hablo más bien como un alquimista que como un elegido. Es sabido (y esta verdad procede de un acuerdo entre los neopitagóricos) que la materia devora el alma, salvo el *nous,* claro está, que es nuestro intelecto y, en algún sentido, nuestro *demonio.* Cosmogónicamente —agregó riendo—, el intelecto es un devorador del espíritu del universo, *Spiritus mundi;* él invierte el sentido de la realidad que proviene de Dios. Pues bien, a partir del intelecto (o por mediación de él) la materia tiende a lo invisible, como antes el alma tendía a la materia. Este proceso de conversión deja un saldo que es nuestro *excrementum maleficorum.* Pero, claro está, la tradición cristiana lo ha entendido *pro domo sua.* Para decirlo con palabras de Jung, extraídas de su *Psychologie und Alchemie*: "En la proyección cristiana el *descensus Spiritus Sancti* se verifica sólo hasta el *cuerpo vivo* del elegido, que al propio tiempo es *verdadero hombre* y *verdadero Dios;* en la alquimia, en cambio, el descenso llega hasta las tinieblas de la materia muerta, cuya parte inferior, según la concepción neopitagórica, está regida por el mal."

Y mientras se columpiaba con vigor frenético, comenzó a execrar a gritos:

—La pústula, la llaga, la materia excrementicia, la enfermedad, las regresiones, las algolagnias, la perversión sexual, la crueldad, la tortura, la insidia, la infidelidad, la purulencia, las gusaneras, la muerte incluso, no son sino las proclividades de una materia sin dirección, ni descendente ni ascendente, materia de depósito, estática, fementida, femenina como Bettina, *anima mundi, physis,* sin redención. ¡Huélala aquí conmigo, en este placer misógino-narcisista al que me someto todos los días como usted se somete todas las noches a su hembra!

Volvió a mirar a Bettina, pero ahora con receloso horror. Y como quien reza con mente antigua, enfiló su vista a la espada que aguardaba su hora. Había sentido un escozor de celos por primera vez, porque comprendió que la crueldad de Bettina con aquel santo purgador podía ser (aun en su impiedad) un secreto reconocimiento de ella frente a ese sufrimiento que, asumido hasta el paroxismo, intentaba llegar a su alma incluso como una prueba de *mort per amor.*

—¡Aciago *patarin,* gema viviente, vaso de dolor! —prorrumpió íntimamente Estebanillo, ridiculizando así, para su coleto, la crispación del supliciado.

Afuera los grupos trabajaban sin descanso, bajo el rigor del látigo, en los trazados de los muros y excavaciones de refugios o cavernas fortificadas como *spoulgas* en la ladera misma del monte de Ariega. Había pensado últimamente mandar a levantar una muralla de defensa para esa futura ciudad de escorias humanas, aunque él se regocijaba, al margen de toda realidad, imaginando que volvía a construir el castillo de Usson, o la fortaleza de Quéribus o, simplemente, las grutas de Ermite para la santa memoria de esos perfectos trogloditas que ahora comandaba, dignos todos ellos de la más alta hoguera del Bidorta. Dudaba acerca de sus propios planes a la vez que no podía evitar que tales ideas rondaran su mente junto con el fraseo de diversos autores que Fernalio le había impuesto para el viaje, con el fin de adiestrar sus sueños y orientar sus impulsos agresivos; estos autores eran, entre otros, Fernand Niel o Gérard de Sède, leídos y releídos. Dejó que lo invadiera (como un asco estremecedor) su propia excitación y se achirló con impaciencia las mejillas, exigiéndose a sí mismo despertarse del todo.

¿Pero qué eran aquellos gritos? ¿Lamentos o cánticos? Salió con la espada en la mano.

—*Va bé! Está bé!*

Las voces provenían de un grupo de esclavos, vestidos con hábitos ensangrentados y sudorosos, que exaltadamente arreciaban, en aquellos instantes, contra el santo, arrojándole piedras y palos y picas y escodas, deseosos de terminar con el espectáculo de un escarnio tan inútil. El rumor colmaba los aires. Estebanillo levantó su vieja tizona y avanzó. Al caminar sintió que su imagen tenía mil años. A un costado, el monte de Ariega se había convertido en un inmenso Thabor, con sus crestas relucientes y sus rayos de plata que herían un cielo próximo al deslumbramiento. Disfrutaba, sin duda, del don de la ubicuidad. Más abajo de sus plantas, en grisáceo declive, la tierra, *Terre Gaste,* se hundía hasta el horizonte en borrosos charcos de espejos humeantes y lodazales erizados de cañas. Una calma de suelo tan anónimo y cristalizado como su alma muerta. Porque la visión correspondía legítimamente a un estado privilegiado de la conciencia que al iluminarse totalmente comprende que todo lo que existe, existe fuera y dentro de la mente. Él mismo sintió su propio impulso irracional, de modo que ya no podía desistir. Allí estaba, por lo demás, delante suyo, la imagen de aquel padre espiritual, *illo ex cui genitus est,* con su carne corrupta, filtrando sus venenos a través de llagas abiertas como labios, en tanto que, por contraste, la sola presencia de Bettina, allí también ofrecida para su consagración, lo retrotraía al sueño primordial del *Fin Amor,* fuente eterna de un deseo nunca saciado, donde ella resplandecía envuelta en un halo de pureza mística. *Ay, moun amic!*

—¡*Grasal,* inmundo tullido! —gritó con ira.

Y le costó hundir su espadón, casi sin punta y desafilado, en aquel amasijo de tumores como flores. El viking estiró los labios en un gesto de tensión, como si soportara el empuje de una fuerza tremenda que sin embargo lo liberaba. Estebanillo creyó que aquel bigardo más que gritar, reía. Al mismo tiempo le pareció que las llagas habían desaparecido. Pero no podía ver bien el fenómeno porque sus ojos estaban arrasados por el sudor que le caía de la frente. En aquellas gotas ardientes el sol descomponía su relumbre en hirientes puñales, cegándolo. Sólo veía los bultos de las gentes como si de pronto, más allá de su encandilamiento, todo se hubiese ennegrecido.

Rápidamente se pasó el dorso de la mano sobre los ojos. Pudo ver entonces que la cabeza de hirsutos pelos dorados había quedado inclinada contra el madero que sujetaba sus miembros. Estaba intacto en su belleza y pensó con desazón que el santo lleno de lacras y de moco se le había escapado una vez más de entre los muertos. Entretanto Bettina retrocedía llevándose una mano a la nariz, con gesto de asco, ante el hedor que había comenzado a expandirse en el aire. Los demás espectadores se retiraron lentamente.

Al final quedó él solo frente al cuerpo encorvado del ajusticiado. Con la espada le levantó la cabeza y no dejaron de asombrarle sus ojos desmesuradamente abiertos. ¡Garduños ojos para el cielo!, se dijo con rencor. Y regresó sobre sus pasos recapacitando, conforme a lo que había vuelto a leer la noche anterior, si no eran, después de todo, "los valores de la intimidad los que triunfan y salvan".

3

En su libro *Le Tresor Cathare,* Gérard de Sède cita en nota una frase de Gilbert Durand que resume el pensamiento de lo que he querido expresar en fatigosos borradores (todos al fin rotos y desechados), borroneados sin embargo en estado sonámbulo en las últimas noches, en el afán de encabezar con algo mi crónica de viaje: "La alegría de navegar se halla siempre amenazada por el miedo de irse a pique, pero son los valores de la intimidad los que triunfan y salvan." No oculto que este miedo devoró uniformemente el espíritu, no sólo de nuestros marineros, curtidos y silenciosos en sus oficios, sino de todos los demás miserables que transporté (algunos arrojados ya al mar o tirados sus cadáveres hasta en las aguas del Paraná, mientras penosamente subíamos hacia Asunción), pues el barco en que cruzamos el océano no estaba construido, por cierto, para llevar tan oprobioso cargamento. Se trataba sencillamente de un viejo carguero holandés, con sus bodegas abarrotadas de gentes que ululaban y se quejaban todo el tiempo, sin darnos ningún margen para el reposo o disimulo del horror.

Esa carga de individuos vociferantes todavía invade los ámbitos de mis sueños y sus gritos me sacuden con la misma angustia del despertar de los muertos que infructuosamente anhelan de pronto la perfección y la salvación. Les bajábamos sus alimentos por las aberturas de la cubierta y ellos, desgreñados y exhaustos, sólo nos devolvían sus cadáveres que echábamos al agua casi con alivio. Nos repudiaban en todos los puertos a causa de la inmensa gritería que levantaban. Nos creían apestados. Algunos guardias marinas nos amenazaban desde lejos con cañonearnos y hundirnos, a veces de sólo vernos aparecer en el horizonte. Otros, manteniéndonos a distancia, consentían en darnos víveres, deseosos de que nos alejáramos lo antes posible. Parecíamos malditos. Así nos fuimos perdiendo en alta mar, sin auxilio de ninguna especie, casi como un barco a la deriva, sin derrotero fijo, permanentemente abrumados por la idea de que se apagaran sus calderas, o nos fuéramos a pique por el excesivo peso de la población o se agotaran nuestras provisiones o, simplemente, nos quedáramos allí, en suspenso, en esos abismos indistintos de cielo y mar, oh pestífera nave de locos.

Las noches traían, con su oscuridad devorante, sus fantasmas. Y cuando la tormenta nos acometía y partía sus rayos encima de nuestras cabezas, un sentimiento de impotencia abrasaba mi ánimo. Bettina vivía postrada y muda. Con claridad comprendo ahora que fueron esos valores de la obstinación interior a que me he referido, los que me mantuvieron (con las mismas fuerzas que sin duda provee el inconsciente) indeclinablemente firme en medio de tantas incertidumbres y quebrantos.

Hubo amotinamiento entre los esclavos; flagelamos y ajusticiamos a algunos de ellos para escarmentarlos. Les suprimimos sus raciones, también el agua. Es decir, los fuimos hundiendo cada vez más en la vileza de la consunción física. De este modo logramos finalmente apaciguarlos. Pero lo que no pudimos acallar fueron sus lamentos. Aquel treno resultaba mucho más clamoroso en la oquedad de la noche. El mar mismo se mostraba herido de silencio. Todas las cuerdas del dolor humano parecían conjugarse en su abyección. Ningún consuelo. Sólo diré que la idea de que mi barco era un vaso mísero de inmundicias meciéndose en un inútil ofertorio a la nada, volvió muchas veces mi pensamiento a Dios.

En uno de esos primeros castigos, al arrastrar a varios prisioneros por la cubierta, descubrimos la terrible belleza de aquél a quien, por mera burla, le atribuimos categoría de viking. Íbamos a arrancarle los ojos, pero su orgullo y dignidad, que no parecían corresponder a su triste destino, llamaron mi atención. ¿Qué quería demostrar con ello? ¿Su desprecio por el dolor? ¿Su indiferencia a quedar ciego o morirse allí mismo? Confieso que yo creía por entonces que esos valores de la intimidad, en cuanto se manifestaban sólo eran signos de una absoluta irresponsabilidad del ser que por efecto precisamente de una insania moral, transforma en doblez o parodia de la insensibilidad la sana complexión del terror de morir. La vida misma asumida con desprecio me resultaba intolerable pues le restaba al poder del crimen o el castigo su más viva relación con el mal. Sin el mal el espíritu no desciende y se torna intangible y vacuo. Quedan de tal modo vedados para el hombre los caminos de la acción y la liberación. Tal el ocio del *Deus absconditus* que incluso se desentiende de la pecaminosidad sin redención en que yace su criatura. Para mí esos santos heroísmos no eran sino la última mendacidad de una falsa ética que trata de ocultar de mil formas que el sacrificio sólo vale para quien lo impone, no para quien lo padece. Por ello pensé en Bettina, ya que por gracia de sus dones peculiares a ella le habíamos reservado la determinación del tormento a seguir cuando el castigo requería, por alguna cualidad intrínseca de la víctima, una saña excepcional.

Al comienzo Bettina lo contempló con dureza y asco, pero luego fue sonriéndole a medida que descubría, detrás de su roña y sus andrajos, su esbeltez; o a medida que el propio viking se iba mostrando dócil a su mirada, en el consuelo de que únicamente así podía salvarse, inclusive para el placer, ante aquella dama de tan duras mercedes. Bettina le extendió un arpón y con un simple gesto mandó que acometiera contra uno de esos indefensos espantajos que con él habían subido a cubierta y que todavía con gran aflicción lloraban por su suerte.

El viking no solamente atravesó el cuerpo del prisionero, sino que lo sostuvo a pulso y aun lo blandió en lo alto como un jirón al viento, esperando con la cabeza vuelta hacia Bettina que ella aprobara su acción. Bettina reconoció en tal gesto una prueba de sumisión y de coraje a la vez, y consintió con una sonrisa a que arrojara aquel despojo al mar. Pisándolo contra el suelo, y diestro como un hieródulo, el viking le arrancó el punzón y luego, asiéndolo con las dos manos, giró sobre sí mismo para tomar envión hasta lanzar la dislocada figura por encima de la borda.

El espectáculo produjo hilaridad y se repitió varias veces. Al final, Bettina lo apartó tomándolo de la mano y ordenó que lo limpiasen y rasurasen y vistiesen. La aparición posterior del viking con sandalias de oro, ceñido por una corta túnica y un cordón de aros relucientes alrededor de su cintura, nos dejó deslumbrados a todos y, entre risas, lo consideramos un dios. Al mismo tiempo, desde abajo, comenzó a oírse el rumor de la protesta como si las manos y los pies de los desamparados coincidiese con el ritmo de un nombre único: *Kak-Od Deus* (dios leproso).

4

Los días y las noches sobre el mar siguieron con sus hábitos de tenebrosa expectativa y su clima de frustración y de crueldad rabiosa. Únicamente Bettina parecía feliz. Se paseaba por el puente del carguero, en medio de los lamentos y del trabajo infatigable de nuestros admirables marineros, cubierta apenas por un velo, al lado del viking deífico que ostentaba su orgullo y desprecio por los demás como un signo de su favor en el placer y la sevicia de su dueña. Aunque ya llevaba las señales de intensas mortificaciones y castigos, propios de su condición de *domnei,* se mantenía erguido, esbozando siempre una sonrisa lejana que la sequedad del aire, al alborotar sus rubios cabellos, transfiguraba con la palidez de la sal en el rictus de una infelicidad abominable. Ninguno ya prestaba atención a su garbo y, por el contrario, sólo comenzó a llamar la atención cuando se lo vio andar poseído por extraños temblores.

Una mañana apareció, a la vista de todos, encadenado a un pilar de amarradura. Temblaba y se quejaba desorbitando los ojos como si lo que en verdad lo desesperara no fueran tanto sus dolores físicos sino las poderosas visiones que abortaba su inconsciente. Bettina estableció que nadie que pasara frente a él lo hiciera sin escupirlo antes. Esta insípida agresión acabó por cubrirlo, en pocos días, de tantas babas serviles que al secarse le dieron el aspecto de una figura de siglos, semejante a una horrible gárgola, patinada por los rigores de la humedad y la intemperie.

A la primera semana de su proceso de corrupción (en que las pústulas afloraron gloriosamente), sentimos del modo más intenso un vivo olor a rosas en el aire, el cual se desprendía de su cuerpo enfermo. Esta desarmonía entre el placer sublime que producía tal perfume y la visión del ser degradado del que procedía, tornó casi insoportable su presencia entre nosotros. Pero Bettina impidió que se lo retirara. Ella misma lo atendía y le daba de beber. Le hacía limpiar sus miasmas y lo alimentaba una vez al día. Fueron los momentos en que llegamos a las costas del Brasil, al puerto de Recife, bajo un sol brumoso y metálico. Desde sus muelles llenos de negros que gritaban clamorosamente, nos rechazaron con ira y oscuras maldiciones.

Volvimos al mar. Sus aguas parecían más negras a pleno sol y fatalmente ardidas a la hora del crepúsculo.

Sólo las aprensiones y los miedos de hundirnos en la soledad del abismo nos daba fuerza para buscar la correcta orientación de nuestro derrotero. De allí bajamos hasta la entrada del Plata. Las autoridades del país argentino nos detuvieron. Les exhibí los documentos de la condesa Messina y de Zappo, dirigidos al mandatario de Paraguay, y nos dejaron entrar con gran respeto. El funcionario que nos abordó mostró vivo interés por nuestro *partage* (como él mismo lo llamó). Era un hombre atildado, de finos modales, que prestaba la mayor atención a todo cuanto yo le decía. Sonrió al ver al viking (que había tomado ya el aspecto más repulsivo posible) y cabeceó varias veces delante de él, con ironía, como si reconociera a tan extraño y contumaz personaje.

—Ah, San Brendano, el tránsfuga —musitó encogiéndose de hombros.

A lo largo de mi conversación con él supe, de paso, que se dedicaba a la magia, en lo que demostró una gran erudición. Citó varios pantaclos, entre ellos el que a su juicio era el más importante y que procede del *Grimorio* de Honorio. Lo repitió textualmente: "La fatalidad reina por las matemáticas y no hay más Dios que la Naturaleza. Los dogmas son el accesorio del poder sacerdotal y se imponen a la multitud para justificar los sacrificios. El iniciado está por encima de la religión de que se sirve, y dice de ella todo lo contrario de lo que cree. La obediencia no se motiva, se impone; los iniciados están hechos para mandar y los profanos para obedecer." Y agregó con inusitado ardor:

—Nuestro dignísimo Presidente, el General Don César Arrio Lanigoso es, entre nosotros, el más fiel representante de esta doctrina que (de tan castrense) hoy podemos llamar con orgullo nuestra doctrina nacional. Luego de un árido proceso de despojo civil, hemos logrado sacralizar el ejército, al punto de convertirlo en una fuerza mágica y numinosa. Nuestros militares son nuestros iluminados. Desde un punto de vista histórico, su función actual equivale a la de aquellas castas sacerdotales del arcaísmo que tras el proceso de socialización de la religión alcanzaron el más alto grado de perfeccionamiento en el resguardo y administración de los bienes del estado. El sistema impuesto por ellos es de pura expoliación y casi ni necesitamos del esclavismo para aparentar honestidad.

Con reverencia me sumé a su exaltación y cuando creí que llegábamos al término de nuestra conversación, miró repentinamente a su alrededor (quizá para precaverse de que estábamos en ese instante lo suficientemente solos) y con gran excitación me suplicó al oído:

—En mi país la pena de muerte sólo existe formalmente. Lo desdichado es que nunca se aplica. ¿No tiene, al respecto, alguna víctima que ejecutar? No ése —aclaró, señalando con la cabeza al desastrado viking—; alguien verdaderamente inocente. Es un espectáculo que he anhelado ver toda mi vida, diré desde la infancia.

Y suspiró muy hondo, afectando un gozo terrible. Su boca se le había humedecido. Tenía los ojos vidriosos y aguardaba ahora, un tanto encogido, con esa amabilidad servil, típica del vicioso, a que diera mi consentimiento. Tardé en reaccionar.

—¡Oh, sí! —repuse mecánicamente.

Y llamé a uno de mis asistentes.

La ceremonia se organizó con todo rigor. Nuestro visitante, con energía increíble, ordenó a sus guardias (que esperaban abajo, a un costado del barco, en un lanchón) que se alejaran y mantuvieran a prudente distancia, hasta que los llamara de nuevo. Pidió algo donde sentarse y yo le hice traer mi propio sillón de la cabina de mando. Al ser colocado sobre la cubierta me sorprendió (como si lo viera por primera vez) por su enorme cabecera de estilo imperial francés y su reluciente cuero rojo con un gran escudo de armas repujado en su parte superior.

Todo el tiempo que duró la ejecución el funcionario se revolvía en su asiento como un niño, tomando las más disparatadas posturas. Reía y gemía al mismo tiempo. Al serle vaciados los ojos a la víctima, aplaudió histéricamente. Cuando todo terminó se levantó y caminó como un borracho, sacudiéndose y aupándose los pantalones; al parecer quería liberarse de esa viscosidad que por delante los humedecía. Hizo llamar a sus oficiales y bajó penosamente por una escala de cuerdas mientras yo deseaba vivamente que se cayera al fondo. Me saludó, pero antes de partir me entregó un emblema que reproducía, según me dijo con voz apenas audible, la imagen de una momia galvanizada, inspirada en las elucubraciones fantasmagóricas y esotéricas del *Libro de los sueños* de Sinesio de Cirene.

—Guárdelo como un distintivo de nuestro gobierno para que nunca olvide cuál fue el más proficuo pensamiento de aquel obispo de Ptolemaida que hoy inspira nuestra política de sana hermandad. Se lo transcribe en niel, como una taracea: "El pueblo se burlará siempre de las cosas fáciles de comprender: necesita imposturas." Guárdelo, que quien conserve además este emblema impedirá de algún modo la marcha de los hombres vivientes.

Mirando aquella imagen patética recordé a mi vez una enseñanza de Fernalio, quien me afirmaba, antes de partir: "Toda lucha, guerra o enfrentamiento aspira a la domesticación. La civilización es la fase de la domesticación universal del hombre; es, también, un enmascaramiento de la muerte. El hombre asume en la civilización su 'persona', esto es, su máscara. Pero en el fondo libidinal de su horror a ser totalmente devorado y castrado por esa madre coital que es la civilización, el hombre (como un ser vacío que busca su personalidad) se mueve desesperadamente sobre la nada, queriendo asir su propio yo entre esos dos gigantes, Eros y Tánatos, que luchan en él impersonalmente. Frente a la madre terrible se aliena en una supermoral e impone, nuevamente, como quien asume una autoridad que no le es propia, el crimen y la crueldad. Porque esa autoridad que lo libera (y lo hace consciente además de su destino aberrante) no es sino su tendencia destructiva a identificarse con el superyó del padre posesivo. De ahí que en toda voluntad de poder no haya sino una adaptación regresiva que deja al final, como un sello demoníaco en nuestros actos, un sentimiento inconsciente de culpabilidad. El hombre, como ve, es un puro vacío en su derelicción."

Reemprendimos el viaje y al entregarle a Bettina el objeto emblemático me asombró que ella entrara casi en un éxtasis de felicidad después de contemplarlo largamente. En verdad, el rostro de aquella momia era una reproducción fidelísima del rostro de la condesa Messina, con sus mismos rasgos de ternura, su suprema evasión, su solemne desapego. Esta comprobación nos hizo entristecer de veras, mezclando con la añoranza de su regazo la incertidumbre y el cansancio de una empresa que acometíamos en cumplimiento de su santa decisión.

La noche nos sorprendió al atravesar el Delta y sin otro ardimiento que el que se desprendía de la contemplación de aquella imagen (que alcanzaba una extrema espiritualidad en el altarcillo que inmediatamente le compuso Bettina, alumbrándolo con velas de sebo), nos recogimos en la meditación, sabiendo que nuestro derrotero por agua se aproximaba lentamente a su término. Todavía tuvimos problemas con los prisioneros. Yo me hacía íntimamente cargo de sus aullidos y protestas. Muchos días y noches llevaban ya en su condición de enterrados vivos y sus bajas se sumaban de manera alarmante.

Devolvimos al río de aguas pardas varios de ellos hasta que sin esperarlo, sorpresivamente, nos vimos rodeados de cañoneras y barcazas que alrededor nuestro hacían sonar sus sirenas en medio de las hurras de su marinería. ¡Habíamos llegado a destino! Era como una *confabulatio dilecti cum dilecta.*

5

Nos sorprendió la guardia de soldados que el Gobierno había mandado formar en el muelle para recibirnos con honor cuando bajamos a tierra. Casi todos estaban descalzos. Salvo por el distintivo común de sus arrugados y envejecidos uniformes que con modestia (o tal vez con austeridad) intentaban relacionar con la idea de un cuerpo disciplinado, el conjunto llamaba la atención por la desproporción de sus integrantes. Los había de todas las estaturas, apariencias y fachas. Unos patizambos, otros jorobados o escolióticos, bizcos, desnarigados o acromegálicos. Al mirarlos con mayor atención vi que algunos usaban chalalas o usutas. El capitán que ordenó presentar armas llevaba un zapato de un color y el otro de otro. Además, las armas que presentaban eran disímiles: uno exhibía un viejo arcabuz, otro un sable corto o un hacha. En las manos de un soldado ventrudo (que se distinguía de los demás por llevar encasquetado un fez rojo de turco), lucía una cimitarra. A su lado un soldado estragado blandía una partesana con su penacho deflecado; más allá alguien presentaba un garrote; otro un mosquete o carabina de Ambrosio; junto a un fusil de pistón competía en rigidez una alabarda. Un soldado con sueste de cuero y parche en un ojo sostenía una ballesta. Aquellos extravagantes sujetos mostrábanse sin embargo unánimemente complacidos en participar en tal rendición de honores, aunque por su aspecto de corte de milagros convertían de hecho la ceremonia en una inevitable parodia.

—Es la guardia de nuestro Estado Mayor —me aclaró el que oficiaba de Ministro de Embajadores, un hombrecillo cejudo y de cráneo achatado, prácticamente sin frente.

Fuimos conducidos en un carruaje (que era visiblemente de pompa fúnebre) al Palacio presidencial, más conocido en el país con el nombre de Portal de Urutaú. Sentado en el pescante iba el cochero, un verdadero moscorrofio jorobado al que se le traslucían las vértebras debajo de su librea como el espinazo de un esturión. Una multitud de mendigos, lisiados y contrahechos lo saludaban al paso con hilarante familiaridad, pero él seguía imperturbable como un santo de palo. Todos sonreían en su miseria y nos hacían muecas y extraños signos con las manos. Un ciego, lanzado a la calle en medio de las risas, fue golpeado por los caballos y pisado por las ruedas del carruaje en que desfilábamos. Finalmente llegamos al famoso Portal. Era una construcción que compartía por igual, barrocamente, un estilo francés y colonial, adornado con agujas y torrecillas Tudor que se veían desde lejos, con sus ventanales en ojivas (cubiertas, ay, por rejas carcelarias) y un amplio balcón saliente sobre la entrada principal. Lo curioso era que al término de esta fachada (relativamente amable), se alzaban grandes muros grises, almenados, propio de una prisión o fortaleza (que ambas cosas venía a ser, por cierto, aquella residencia). Allí nos aguardaba su Excelencia, el Presidente Perpetuo de la Nación, General Don Edwin Caseno von Stöcker. Antes de llegar nos sugirieron que lo tratásemos de *Sire,* como se lo trataba a Napoleón.

Nos recibió en un gran salón de paredes chorreadas y descoloridas, con sus sillones visiblemente desvencijados y sus cortinas que más bien parecían colgajos de telarañas. Al fondo se veía un pequeño cadalso con su horca amenazante. El Generalísimo estaba vestido de cónsul romano. Una toga con filetes azules lo envolvía totalmente, llegándole un poco más abajo de las rodillas, lo que destacaba aún más su figura rechoncha y sus piernas venosas y macetudas. Su séquito lo integraban dignidades monásticas, todas consumidas por extremas maceraciones y militares que lucían condecoraciones de hojalata, amuletos, collares y chafarotes, y diplomáticos de frac. Entre estos últimos se destacaba por su altura gigantesca, su cara rubicunda, su sonrisa permanente y sus anteojos de gruesísimos cristales (que lo mostraban como un pez en su pecera), el embajador norteamericano. Había allí un negro que se decía un rey desterrado de Katanga. Los demás eran sencillamente contrabandistas. Pero donde aparecía un funcionario propiamente nacional, impresionaba por su vestimenta ruinosa, ya se tratara de chaquetas militares, evidentemente prestadas o heredadas de otros, o de prendas civiles, algunas de las cuales presentaban remiendos o desgarraduras que ellos mismos procuraban penosamente ocultar. Sin embargo, en aquella democracia nadie tomaba en cuenta esos deterioros y todos reflejaban el mejor talante frente al jefe máximo.

Me adelanté. Le exhibí y entregué mis credenciales y las cartas de la condesa; le expresé largamente el objeto de mi misión. Mientras yo hablaba el Perpetuo (que así se lo llamaba popularmente) no hizo otra cosa que relamerse con la presencia de Bettina. De pronto me interrumpió:

—¿Esta fembra va incluida en los regalos?

Rápidamente (y sin dejar de sonreír por ello, según su tradicional *smile for everything*), Mr. Hake (que era el embajador yankee) le arguyó desde atrás con su impagable acento:

—En ese caso ingresará al arriendo de nuestros embargos.

—¡Pero usted no me deja nada! —protestó con ira el Perpetuo, dándose vuelta.

Debí aclarar la situación. Les dije que era mi esposa.

—¡Se la compro! —bramó tajante el jefe máximo.

—¿Con qué? —permitió burlarse Mr. Hake.

—¡Con qué, con qué! ¡Sépalo! Un día de estos les voy a hacer a ustedes desde aquí una revolución que Hiroshima va a ser apenas un ósculo en el culo del mundo.

Tras su rabieta, el Perpetuo se me acercó desconsolado.

—Mire —me dijo, tomándome de las solapas—. Tengo en mi cuadra un elefante que me lo regaló este negro de Katanga. Se lo cambio por ella. Aquí no va a encontrar otro elefante en todo el territorio de la nación. *Verdammtes Tier!* Es lo más valioso que tengo.

Bettina, conciliadora, intervino en la cuestión con una dulce sonrisa:

—No es necesario tanto sacrificio. De lo que yo no me privo no es sacrificio para nadie. Nadie debe sacrificarse por mí, salvo que su sacrificio sea, por tratarse de mí, la negación misma de todo cuanto pueda entenderse, en tal sentido, como sacrificio.

El Perpetuo quedó boquiabierto con la formulación de tan sutil entimema. Se rascó la cabeza confundido, sin entender de lo dicho nada. Yo proseguí:

—Con esta población de esclavos (ya reducidos por mí a la condición de trogloditas), la condesa quiere ofreceros además un reducto o ciudadela construida por ellos, como aquel alado pecio de piedra trabajado por los hijos de Gerión, en la noche de los tiempos, que anticipadamente vino a consagrar el terreno y sirvió de pedestal al castillo de Montségur. Con la exudación del dolor de esta hez humana queremos legar a vuestras tradiciones nacionales un signo del poderío de una voluntad superior sobre un infierno sojuzgado. Dadnos, *Sire,* un monte, una cimera, y allí quedará el enigma de un holocausto erigido a vuestro sol.

Nos asignaron el monte de Ariega, en las quebradas que bajan de la cordillera de Amambay a los esteros y pantanos de la Nueva Germania. En su cima, me aclararon, reinan como en un último cobijo, corridas ya de todas partes del mundo, las "santas Puelles", las dos últimas doncellas realmente vírgenes de la tierra y el cielo. Esta leyenda fue ubicada en ese lugar remoto (y quedó así oficializada en las tradiciones del país, por decreto del Perpetuo), a instancias de un contrabandista francés, de origen tolosano, que un día vino a recalar a estas tierras con un cargamento de ciegos. Los ciegos fueron utilizados para estimular la práctica de puntería como blancos móviles en campos de tiro. Según me aseguran es un gran astrólogo. Y culturólogo. Al llegar aquí (y luego de su gran éxito castrense) vistió hábitos de mago babilónico y desde entonces quedó asimilado al personal jerárquico del Portal de Urutaú. Oficia de zahorí en el gabinete del Perpetuo.

—Últimamente se deja ver muy poco porque el mayor tiempo lo dedica a sus experiencias de transustanciación. En sus ratos de afincamiento terrenal resuelve los grandes problemas del estado. Prevé nuestro papel en el futuro. En este sentido está recomponiendo el fondo heroico y legendario de las regiones patrias. No le gusta nuestro folklore. Impone con sabiduría ecléctica mitos diversos en lugares adecuados. Dentro de poco vamos a tener una nueva mitología y nuevas supersticiones y, con ello quizá, la oportunidad de salirnos alguna vez, como otros pueblos indoeuropeos, con una *Weltgeschichte* propia.

6

Mr. Hake nos invitó a alojarnos en la embajada americana. La mansión (que era en verdad un palacio esplendoroso, de grandes cristales y espacios abiertos) estaba totalmente rodeada de altísimos muros que impedían su vista desde afuera. Él mismo nos contó que esa idea la tomaron de los ricachos mexicanos que de este modo aislan sus residencias del medio para evitar desmoralizar a los ciudadanos pobres. Nos situaron en una de las alas del edificio. Sus largos corredores internos y sus paredes eran de mármol, alabastro o berilo. Molduras doradas alternaban con finas varas de metal luminoso que afinaban la terminación de sus ventanales y puertas corredizas. En conjunto, aquella arquitectura intentaba reproducir —según comentario de Mr. Hake— una visión pulcra y exacta (que ahora ustedes pueden compartir, nos dijo) de lo que para cualquier yankee representaría la aplicación y el confort del american way of life trasladado al Paraíso Terrenal.

—Esta tierra es fértil y pródiga aunque llena de mosquitos. Habría que desecarla un poco como al pantano de Fausto. Es decir, algo semejante a lo que, en sentido inverso, hemos hecho con Las Vegas: un lugar habitable en medio de un desierto. Aquí sería un lugar habitable en medio de un pantano. El zahorí nos promete náyades, ninfas y dríadas. No sé, la idea es buena. Yo creo como Emerson en el retorno de un nuevo Adán. Será por eso (agregó riendo) que siempre leo a Edgar Rice Burroughs. Más todavía, a veces me identifico con su héroe Tarzán.

Y aquí emitió sin represión su grito selvático.

Seguimos en nuestra inspección ocular con creciente asombro. Había en las paredes pinturas que describían escenas idílicas, valles tranquilos con columnas que perforaban los aires y que relucían, en medio del paisaje, con sus gemas incrustadas y sus capiteles aureolados a fuego. La campiña de estos cuadros (con damas desnudas, caballeros del siglo XVIII y, sorpresivamente, marines triunfantes, a veces todos mezclados) prolongaban en los interiores la belleza y placidez de los jardines de la mansión. Lo más admirable, sin embargo, era el baño de nuestros aposentos, con sus enormes espejos biselados, sus paneles inmaculados, sus estatuas paganas, su piso de mármol negro y su cúpula cristalina. Entre sus accesorios se destacaban sus grifos de oro puro y las puertas de los clósets en planchas de plata deslumbrante.

—Esta casa —dijo Mr. Hake riendo— vale en *money* más que todo el Paraguay entero. Lástima que sus gentes, que nos adeudan tanto, no puedan darse estos gustos.

A la noche hubo una recepción oficial en la embajada. Temprano llegaron, con sus esposas, los agregados y cónsules de países vecinos, pues con excepción de Mr. Hake no había otro embajador en aquella nación. Eran gentes modestas y silenciosas, pero ávidas en comer y beber. En su momento arribó el Perpetuo. Venía esta vez vestido con un majestuoso uniforme napoleónico, munido de toda clase de insignias y condecoraciones junto a algunos cascabeles colgados de diversas partes de su chaquetilla, lustrosa ya por los años. Se pavoneaba solo, mirándose en los espejos. En un aparte me preguntó qué tal me parecía el corte.

—Sepa —gruñó altanero— que este uniforme perteneció al Supremo (se refería al Dr. Francia). Lo he hecho ampliar un poco de espalda y los costados, ¿sabe?

Mr. Hake se rió ante estas aclaraciones.

—Venga —me dijo apartándome del grupo—. Le voy a informar sobre el origen de esta indumentaria de Don Edwin. Yo lo ignoraba hasta ahora. En principio, a pesar de lo vieja que está, no fue de pertenencia del Dr. Francia. Nada queda aquí del pasado. Pero el modelo sí corresponde. Está copiado de un cuadro de aquel loco. Años antes de que yo llegara aquí Don Edwin se lo hizo hacer con un préstamo que a tal fin le concedió el gobierno argentino. Es una pena que Nixon me impida confiscárselo. Pues bien, recientemente me ha llegado de la Argentina, por vía de nuestro Servicio Cultural, un catálogo sobre *El humor y la caricatura,* cuyo prologuista E. L. Revol, aclara imprevistamente, con incomparable agudeza, sobre la procedencia de este atuendo. Este autor nos dice (y comenzó a leer en alta voz) que "el tirano paraguayo Dr. Francia, rendía culto a Napoleón —a quien, por cierto, no vio jamás y de quien, en realidad, muy poco era lo que sabía— y coleccionaba devotamente cuanta cosa más o menos relacionada con él llegara hasta su imperio guaraní. Así fue a dar a sus manos una caricatura inglesa de su ídolo, en la que el dibujante lo había representado con atuendo estrafalario. 'El Supremo' se creyó que Napoleón realmente vestía así y en seguida ordenó que le confeccionaran un uniforme de gala en el cual ni siquiera los cascabeles de la caricatura faltaran. En otras palabras: sin llegar nunca a saberlo ni el uno ni el otro, un caricaturista al tirano lo hizo vestir de bufón. Le hizo vestir, por intermedio de la imaginación, ese uniforme que a cada 'conductor' o 'benefactor' le pone, adentro, su ambición". Lo que no presumía el caricaturista —acabó diciendo Mr. Hake— es que a más de un siglo de por medio tendría otro engendro igual para glorificarse de nuevo.

En eso estábamos cuando llegó Bettina disfrazada de Artemisa. Era la encarnación viviente de la Diana de Fontainebleau atribuida a Goujon. Una tela bermeja, de grandes volados, cubría su cuerpo desnudo mientras portaba un arco de oro y una aljaba llena de flechas agudas. El Perpetuo celebró la ocurrencia con gestos y risotadas de sátiro. Las mujeres quedaron al comienzo escandalizadas, aunque la belleza de Bettina disipó por sí misma toda idea de bajeza. Se movía descalza con el ritmo de una verdadera diosa.

—Soy Lygodesma —gritó entre risas.

Y enarboló su arco en procura de un blanco adecuado a sus ansias. Embriagado por el esplendor de esta visión cinegética, el Perpetuo comprendió la alusión y llamó a tres hombres de su desastrada guardia.

—*Gnädige Frau,* ensaye en ellos sus virtudes que nada hiere tanto como el deseo insatisfecho.

Los tres soldados se alinearon al frente contemplando inmóviles la escena llenos de asombro y de terror. El primero se tambaleó con una flecha clavada en el cuello. Otro fue herido en el pecho y el tercero aulló con un ojo atravesado por tan gentil acometida. Los contertulios aplaudían y festejaban la puntería de la diosa. Luego continuaron comiendo y bebiendo con hambre y sed frenéticas. Yo le explicaba entretanto al embajador el sentido de tales excesos.

—Todo esto refleja, positivamente, la plenitud revulsiva que alcanza el inconsciente en el hombre cuando éste vive en una sociedad que no concede margen a la acción personal. Jung lo ha dicho: "Cuanto más fuerte sea la normatividad colectiva del hombre, mayor será la inmoralidad individual."

—Sí —me respondió pensativo—, pero lo importante es que toda norma que uno dicte tenga sobre los demás una validez absoluta.

Bettina jugaba ahora deliberadamente con el Perpetuo a la vista de todos. Se resistía y gritaba retorciéndose con él en un amplísimo sofá. El hombre, por su parte, mostrábase ciego y obcecado en su determinación. Prácticamente su uniforme estaba desgarrado en varias partes. Rodaron al final sobre la rica alfombra de Esmirna que decoraba con sus vivos colores la sala de recepción. Aparentemente daba la impresión de haberla dominado. Y mientras la sacudía con reiterada insistencia, su cabezota, colgada a un lado, parecía querer incrustarse en el suelo. Tal postura ocultaba la figura de Bettina cuyo rostro, en ese instante, estaba vuelto hacia el lugar en que todavía yacían los cuerpos muertos o agonizantes de los soldados. Todo tendía ya a sumergirse en el silencio. Los invitados, recostados en vastos sillones, unos dormidos y otros hipando, tenían la misma expresión desencajada y lejana. Desde su vacío mental, Mr. Hake me reconvino de pronto:

—Tiene que conocerlo al zahorí. Es verdaderamente un iluminado.

7

Sentado en un estrado de grandes paneles negros, con cátedras alrededor semejante a un claustro consistorial, me recibió el zahorí con notoria indiferencia. ¿Estaba en uno de sus trances? Su rostro enjuto era el de un perfecto senescal pervertido por el trato servil de los hombres y la metafísicalidad del tiempo. Tenía delante un vaso colmado por un líquido rojizo y fosforescente que echaba sobre sus facciones un brillo espectral. Su voz, de resonancia ubicua, parecía proceder de un ámbito ajeno a su cuerpo.

Mi nombre es Arnaud Cathalá. Desde 1234, en que fui expulsado de Albi por haber demandado con perfidia consciente, en mi función de inquisidor, exhumar el cuerpo de una mujer para quemarla, he ambulado por el mundo, mezclado entre las gentes, como un ser sin nombre y sin rostro. Desde entonces podría decir que no existo, si existir implica morir. Soy la pura oquedad de una crónica de hechos anónimos que nadie logrará jamás rescatar del olvido. Los hechos se acumulan en torno de mí, urden su gradación, pero una maldición (o quizá la muerte misma que me está vedada) los deslíe hasta volverlos anodinos e insustanciales. Por ejemplo, en un pasaje de una historia cátara se dice, con intención patética: "En Moissac, habiendo sido condenadas a la hoguera 210 personas, uno de los condenados consigue escapar *in extremis.*" Ése soy yo, pero esta mención (como cualquiera otra) se diluye siempre en la misma indeterminación. Toda escritura me alude en cuanto intenta ilusoriamente asumir mi ser: me encandece y apura, y lo que al final resta (oh ceniza del tiempo), no son memorias, son palabras, palabras tan vacías como un reverbero de la nada. Borges lo ha reconocido con santa ironía. Al reverenciar mi nadidad (o si se prefiere, la de Joseph Cartaphilus), ha dicho parangonando mi olvido: "Palabras, palabras desplazadas y mutiladas, palabras de otros, fue la pobre limosna que le dejaron las horas y los siglos." Mucho más jactancioso en su destreza imaginativa lo es sin duda Ballard cuando afirma (asignando mi estado anónimo al Judío Errante): "No hubo más noticias del conde Danilewicz, etc." El pobre acaba presuponiendo en su relato (sin duda para inquietar al lector) que yo he vuelto a aparecer, con nombre fingido, en Santiago de Chile. Usted dirá, a su turno, que me vio aquí, en Asunción. Ciego es, en verdad, el ojo de los mortales.

De pronto comenzó a moverse a sus espaldas una gran rueda con su baratillo de signos astrales.

—¡Hombre del Zodiaco! —pareció quejarse—. *Perqué deü tou pays tu te trobes banit?* Ah, el hombre, en tanto hijo de los astros, es un ser sin padres, un extraterrestre, un *no man's land.* Pero su propio nombre genérico encubre, semánticamente, el origen y el enigma de su identidad. Se cree más bien hijo del barro. Esta contradicción la recoge y ejemplariza el mito de Edipo, quien desoyendo (o no pudiendo entender bien por la propia trabazón de lo humano) el oráculo que le prohibía retornar a su patria, consumó insensatamente, al volver, la tragedia de su desviación y error. Pero su tragedia resulta, de hecho, iluminadora para nosotros que ya carecemos de un yo. Significa que el hombre viviente que asume moralmente su persona (y con ella su autodeterminación y libre albedrío) se equivoca finalmente porque al moralizarse sólo asume como una culpa su propia existencia. Así es como se entrega vocacionalmente a la pasión de su muerte. En el fondo, sólo busca su escarmiento y no conoce más que la servidumbre y el miedo. Pero sea por virtud del inconsciente o por impulso de una memoria cósmica, propincua a los astros, el hombre iluminado por su autodestrucción advierte en el crimen la respuesta. Todo crimen tiene un valor iniciático y un gran poder purgativo para quien lo ejerce, pues representa edípicamente un deseo de liberación de la herencia genética. Por ello el poderoso mata. Su voluntad es el puro vacío del ser.

Tal compulsión, cuando opera, torna el destino irreversible. Cierto, el hombre que se absolutiza y alcanza tal desarraigo, de su tierra, de su yo, de su raza, y por consiguiente acaba poseído por su propia grandeza cósmica, no puede menos que sentir, al descubrirse único entre los otros, que él ya "no puede ser hijo de nadie, si no lo es del cielo", como dice Edgar Morin. Me apesadumbra decirle que esta nueva doctrina astrológica he intentado inculcársela a nuestro Perpetuo, pero él no logra sustraerse todavía de la concupiscencia.

Hubo un largo silencio en el que no cesaba de retumbar el eco de su voz. También su figura parecía oscilar en la penumbra. Tuve la sensación repentina de estar yo mismo ausente, como si sólo fuera una conciencia sin cuerpo, derramada, vertida en aquel espacio cerrado; sentía mi conciencia regresar a una cruel anfimixis, a una suerte de telepatía orgánica en que las ideas acaban desasiéndose de las palabras. *Deus in coitus*. ¿Por ello me representaba en el oír una memoria de algo ya leído? ¿Oía realmente su voz o era lo escrito en algún texto o libro lo que en mi mente se pronunciaba por sí mismo, en aquel trance cataléptico? La voz seguía remansándose de un modo tan letárgico que me impedía distinguir lo que decía de mi propio pensamiento.

—"No hay ya, en el hombre actual, autenticidad primitiva. Lo que en la jerigonza de nuestro siglo se denomina herencia, lo que la Iglesia llamaba pecado original, designa la pérdida irremediable del contacto inmediato con nuestros orígenes. Y desde el momento en que esto ocurre, ir más abajo de nuestras morales, no es liberarnos de sus prohibiciones sino librarnos a una locura que sería repugnante para las bestias feroces. Descender más abajo de la expresión creada y reglada por el espíritu (aún si el espíritu, como lo creo yo, nos llevara por caminos irreales) no es volver a lo real, sino perderse en la zona de terror y en los terrenos baldíos donde se han vertido todos los desechos de una civilización intoxicada.

No podemos volver a encontrar esta "autenticidad" cuyo deseo nos obsesiona. No está en el término de un movimiento de abandono al instinto enervado y al resentimiento de la carne. No está escondido: está perdido. No podemos sino *recrearlo* gracias a un esfuerzo contrario a la pasión, es decir, por una acción, una ordenación, una purificación —una vuelta a la sobriedad.

Actuar no consiste en evadirse de un mundo que se considera diabólico. No es matar este cuerpo entorpecedor. No consiste tampoco en sacar el revólver contra el espíritu bajo pretexto de que nos ha engañado.

Actuar es, en realidad, aceptar las condiciones que nos son dadas en el conflicto del espíritu y de la carne; es intentar sobrellevarlos no por su destrucción sino mediante el esfuerzo necesario para casar los dos poderes antagónicos. Que el espíritu venga en socorro de la carne, y encuentre en ella su apoyo y que la carne se someta al espíritu y, por él, encuentre la paz: tal es el camino.

Eros mortal, Eros vital —¡uno comporta al otro y cada uno tiene por fin verdadero y por término real al otro, al que quería destruir! Hasta el infinito y hasta la consumación de toda vida y de todo espíritu. He ahí lo que puede hacer el hombre al considerarse como un dios. He ahí el último movimiento de la pasión, cuya exasperación se llama guerra."

¿Era yo el que así pensaba? ¿Era el zahorí el que hablaba o era el silencio mismo?

Ahora que recompongo esta memoria advierto que lo

dicho o pronunciado entonces, en las últimas parrafadas, corresponde fielmente a un fragmento de *L'Amour et l'Occident*. ¿Qué puede pensarse de esta identidad? ¿Es que todo desembocaba por mediación del zahorí en la abyección de lo confuso y lo anónimo? ¿La plenitud del estar, del pensar, del oír, por fuerza habría de terminar así, en la estéril inanidad de una crónica del polvo? ¿Qué quería demostrarme el astrólogo (o Dios) al llenarme de tales incertidumbres y contradicciones? *"All novelty is but oblivion"*, decía Bacon. Así pues, (y ahora mismo), mientras escribo y releo lo escrito, pienso que el zahorí, como una lección de su transustanciación (puesto que él mismo se había volatilizado mágicamente, desapareciendo ante mi vista), me adentró en verdad en el misterio de su no muerte. ¿O acaso no era precisamente eso la experiencia de estar muerto, un acto puro de la conciencia que al desvelarse en la eternidad oye, como un rumor de la vida perdida, las voces de todo lo escrito en el tiempo, sonando huecamente en el vacío de una infinita quietud? Como yo mismo transmutándome en esta relación de mi viaje.

8

Nos entregaron junto con las carretas y los caballos todos los aparejos de tiro, cabestros, horcates, sufras y petrales. Las carretas sólo transportaban provisiones y herramientas. Palas y picos de desmonte para abrir y trazar caminos, iban al hombro; también azadas y escardillos para las mezclas y el cultivo. El viaje en adelante se hizo a pie, a campo traviesa, por pastizales y llanuras, costeando en lo posible esteros y pantanos, o moviéndonos con dificultad entre abruptas roquedas que sobresalían de pronto como si realmente comenzáramos a entrar en un desierto. En precaución de algún horror tapamos los ojos de nuestros caballos y bueyes. A los pocos días, la famélica multitud, librada sin ningún amparo al aire y la intemperie, tomó en la piel de cada uno el brillo rojizo de un sol voraz que al comienzo quemó y despellejó a los esclavos, pero que al final acabó fortaleciéndolos luego de una tan larga postración y encierro en las bodegas del carguero.

El único artefacto punitivo que conseguimos fue un cepo que nos regaló un prior de un convento. Mi espada, demasiado pesada y herrumbrosa, era sólo un símbolo de poder y el Perpetuo, al entregármela, me dijo que se alegraba de deshacerse de ella porque le recordaba los mitos de la castidad. En aquel cepo colocamos al viking, aureolado de moscas. Para él construimos un rústico entarimado que sostenían y llevaban a pulso, sobre sus hombros, cuatro prisioneros que habían quedado ciegos. Era una bella imagen de la aberración y el pesar que no dejaba de divertirnos y estimularnos, pues sin desmedro era digna de un Brueghel o un Bosch.

A medida que nos internábamos en la llanura, rumbo a las montañas, se hacían más escasos las villas y poblados. Al final ni siquiera encontramos para comer esos perros con que los moradores nos acosaban. La soledad, por otra parte, bajo un cielo demasiado hermoso para nuestras desgracias, fue sumergiéndonos en un tiempo de primitividad. La larga legión marchaba entre cánticos y *canzos* y *planhs* que alguien pronunciaba al comienzo desde el fondo de su desesperación y que luego se difundía y cundía entre los desterrados como una pobre lengua *descounsoulada*:

Rossinhol, el seu repaire

m'iras ma domna vezer
e digas li.l meu afaire
et ilh diga.t del seu ver.

Yo pensaba que nos habíamos convertido en volscos lectósagos o bebricios y que éramos dignos, en nuestra absurdidad, de la exaltación de una nueva era megalítica. Imaginaba otra vez islas encantadas como si fuera un jefe feacio, pero la sola visión del viking me volvía a mi depresión de boyero. Su cabeza rojiza contra el sol y sus escoriados lamparones cubriéndole la carne, le daban de lejos la apariencia de una figura de fuego. ¿Es que entrábamos al cielo? Ligures, celtas o ilirios parecían ya nuestros peregrinos, cuya locura y maldito orgullo de proscriptos podrían servir de nuevo para fundar quizá otra civilización tan irracional y depravada como la que abandonábamos.

—Hay que cortarle la cabeza al dragón —oí decir a mis espaldas como si esta frase volviera a darse en una repetición infinita.

Entonces prometí sacrificar al viking al término de mi narración. Pero he caído en tentación y lo he hecho antes. No obstante yo mismo, con fe ciega, he persistido en mi determinación. Los hombres ya han erigido, en la cima del Ariega, los muros de este castillo de la represión. Ahora comprendo que todo ha sido una busca. Y una entrega. Hombres, muros y trazados, cuevas, *spoulgas* y grutas no son, en último término, sino la voluntad de la montaña misma que ofrece así su holocausto en esas ruinas abiertas como un vaso. Sus cuerpos son ahora piedra y la piedra los acoge en su vientre de silencio.

9

Sacó a relucir su revólver y se lo introdujo en la boca. Fernalio se reía al parecer de su propia bravata. Pero Estebanillo no podía por lo visto mantener erguida la cabeza. La sentía pesada como un fardo. Al recuperarse escupió para quitarse ese gusto de trementina que le había dejado el arma. Abrió los ojos y la primera visión del cuarto lo mareó. Fernalio en ese instante le desanudaba las ataduras que sujetaban sus tobillos a las patas de la silla. Experimentó un gran ardor en la garganta que le impedía hablar. ¡Qué feliz encuentro con su cuerpo, podía argüirse, si es que aquel despertar no era, tal como lo comprobaba, una resurrección más bien! Vio a sus pies el cuerpo de uno de sus secuestradores, con el rostro cubierto de sangre. Su cara roja como una pulpa terminaba en unos largos y desordenados mechones rubios que le hicieron recordar a su viking onírico.

Entonces percibió el vacío de su mente, un vórtice de hipnótica succión, un retorno constante a un hueco. Su mareo y su asco se asemejaban al giro tumultuoso de una esfera que luego de colmarse en su exterioridad se deprimía en su parte superior, hundiéndose en su centro (en esa tragadera del inconsciente) para resurgir poderosa desde abajo y llenar su apariencia de símbolo circular y eterno que rehuye la nada. Giro vertiginoso y constante de la redondez del yo. Idea pura, paradoja de la propia conciencia que al "interiorizarse" cae al vacío del ello desde los andamiajes quebradizos de un superyó externo de complexión catéctica. Ah, noche del inconsciente. ¡Y allí sólo la lucha entre dos gigantes, Eros y Tánatos! Ni siquiera se sentía ahora dueño de su yo, esa esfera de Dios . . . Así, con un sentimiento de humillación, le pareció despertarse en un universo negro.

—No recuerdo si era la vieja Empusa con su pie de estiércol o la reina Pédauque con su pata de palmípedo, la que me instaba a despertarme. O usted mismo —agregó con vergüenza.

Fernalio lo hizo entrar, casi a empujones, en un coche destartalado que los esperaba afuera. Ya en el volante comenzó a mofarse.

—Usted ni siquiera sirve para traicionar a nadie. Su apresamiento fue sólo una burla, pero necesitábamos desviar la atención de nuestros traficantes. Sólo que ahora le está reservada una misión todavía más riesgosa: la de su propio entrampamiento. Los documentos que entregó de nuestros archivos secretos son auténticos y valiosos. La clave revelada, igualmente exacta. De ahí la importancia que usted ha adquirido de pronto, aunque más no sea como valor de canje —y se rió al hablar de ese modo tan despreciativo.

El automóvil bufaba como un animal enfermo al subir por la empinada cuesta de una colina y, a punto de desfallecer, arañó finalmente el empedrado y entró en lo que parecía ser un espigón de barraca. Se detuvo al fondo del corralón y allí descendieron del vehículo, caminando hasta las gradas de acceso; luego costearon una vieja galería de muros descascarados y puertas vencidas y ruinosas. Al entrar vio Estebanillo que no había sino trastos y bultos en aquellos depósitos solitarios. Fernalio iba delante siempre, orientando el paso. Salieron así a un patio interno y en el rincón de un mingitorio, próximo a una pileta, su guía levantó una tapa de cámara séptica. Aquella entrada descendía a un corredor subterráneo. Fernalio lo invitó a bajar primero por ese conducto que, como pensó Estebanillo, no podía conducir sino a los infiernos mismos.

Pero aquello no era sino un nido de mendigos. Desde

lejos, caminando todavía por el largo corredor que los acercaba a su cueva, ya había comenzado a oír sus voces y gritos. Antes de llegar subieron por unos escalones desparejos y tras empujar una puerta de pesada hoja ingresaron a ese pandemonio lleno de sujetos harapientos, cubiertos con variedades de remiendos, entalegados o con muletas, rascándose con sus muñones o gesticulando con sus bocas desdentadas, sus párpados vacíos o sus narices carcomidas. Y recordó:

Was ist das hier?
Wer seid ihr hier?
Was wollt ihr da?
Wer schlich sich ein?
Die Feuerpein
Euch ins Gebein!

En el centro estaba el rey de esos macacos. Su figura resultaba sorprendente. Vestía como un chambelán del siglo XVIII. Su casaca blanca de mangas abullonadas estaba festoneada por bordados de oro en sus bordes; sus faldones, ceñidos a su cuerpo, caían sobre unos pantaloncillos de seda que remataban debajo de las rodillas en finas cintas negras. Se movía acompasando sus pasos con un alto bastón de piedras incrustadas. Un gran sombrero con plumas cubría su peluca ensortijada la que copiosamente se derramaba sobre sus hombros. Sus zapatos de taco alto afinaban sus piernas y éstas eran tan delgadas que las medias formaban unas arrugas irritantes para la esbeltez de su estudiada compostura. Ante un condenado recitaba:

Viens, échafaud, suite voluptueuse
de ma morale insidieuse,
viens te montrer à mes yeux sans effroi,

j'aime à m'accoutumer à toi
et mon esprit qui se familiarise
avec les vains dangers dont il nargue la crise,
rit de voir tes poignards ne le point captiver,
rit de voir qu'il te brave et qu'il te fait braver.
Viens, échafaud rempli de charmes,
où la mort qui n'est qu'un instant
ne peut avoir rien d'effrayant.

El condenado besó su mano enjoyada y después se arrodilló y estiró el pescuezo recogiendo con sus propios dedos los repliegues de la ropa que pudieran afectar el golpe que aguardaba. La espada se alzó y cayó fulminante. Un murmullo de aprobación acabó por silenciar la audiencia. Sólo cuando el verdugo levantó de los cabellos la cabeza sesgada volvieron a oírse los gritos ensordecedores.

—Es el Cardenal Menotti-Cicognard —le dijo Fernalio al oído—. Gobierna esta grey o hez. Su poder es casi ilimitado. Se hace llamar aquí Don Leprone. Les ha enseñado, con arte supremo, a llorar, a suspirar, a referir miserias y desnudeces. Su cosecha diaria en monedas, baratijas y alhajas es mayor que lo que la miseria de todos sus miembros necesitaría para redimirse con holgura durante un año. Pero él mantiene sus arcas al servicio de la mentira y el despojo. Compra y adiestra hombres para mendigar. Los deforma, amputa o ciega según sus cualidades histriónicas. Unos toman gestos serviles, otros de truhanes, otros de místicos. Difícilmente alguien le aventaje en delaciones o traiciones. Él fijará su precio y será, en adelante, su dueño.

Narro para la condesa Messina lo que supe y vi durante el poco tiempo que serví a su Serenísima y Reverendísima Alteza, el Cardenal D. Alepe Urbión Menotti-Cicognard. En primer lugar diré que al adoptarme (repentinamente) como su palanquín (ante el asombro de Fernalio que me creía no más valioso que un morabito por considerarme follón, mandria y morrajo a la vez), me hizo una herida en el entrecejo con un puñalito de oro que extrajo de entre los repliegues de una de sus mangas. Mandó luego que lo acompañara a su trastienda. Mientras representaba el papel de Don Leprone era tajante, ostentoso y parlanchín, y mostraba su desprecio por el semejante amparándose detrás de una sonrisa jactanciosa que subyugaba con la blancura de sus dientes. Al quedarnos solos se despojó de su sombrero y su peluca. Sacóse la armadura de sus dientes, me entregó su sacón bordado y se puso su túnica talar de rojo vivo que hube de abrochar hasta los pies. Su figura era ahora la de un asceta, con sus mejillas hundidas, sus ojos adormilados, sin expresión, y su boca que lo hacía asemejarse a un muerto. Me hizo poner sotana de novicio y salió conmigo rumbo al Vaticano. Entre esplendorosos jardines llegamos por fin a un tétrico pabellón. Por un laberinto de corredores y escalinatas que bajaban a los subsuelos de un retiro que bien parecía corresponder a una antigua catacumba, entramos a su celda. Sólo tenía allí, como pude apreciar, una tarima y un látigo colgado de la pared con el que, pensé, se golpeaba las espaldas mientras rezaba. Pero este látigo, al menos en el tiempo que estuve con él, sólo sirvió para escocer mis lomos sin motivo aparente.

Dormía con un mechero de aceite encendido y yo a

sus pies como un perro, en un jergón. A la mañana me hacía vaciar su bacinilla y mientras farfullaba sus oraciones esgrimía el rebenque y no me permitía moverme hasta acabar sus ofertorios. Luego salía y apoyaba una de sus manos sobre mi hombro, obligándome a caminar con la cabeza gacha, en tanto que él (respetado como un excéntrico o un santo) saludaba con un simple gesto a las demás dignidades que encontraba a su paso. Nunca se detenía a dialogar con nadie. En su suntuoso automóvil sellado volvíamos una y otra vez a la capillita doméstica de San Brendano, en el convento de los monjes pelasgos, donde según se decía hacía penitencias y tomaba confesiones. Pero mala era la hora de quien se atreviera a confesarse con él. Tal osadía de la credulidad acababa en una lengua cortada y en un cuerpo baldado, sólo apto en adelante para ejercer la mendicidad y ahogar la vida perdida en el escarnio y el miedo. De aquellos antros santos bajábamos a la cripta de los mendigos, no sin antes empolvarse el rostro, transformarse en fino cortesano y salir como Don Leprone, dispuesto a herir, matar, sonsacar, conculcar o degradar.

Debo contar además, en segundo lugar, una experiencia extrema de que fui testigo. Una medianoche me despertó golpeándome con sus pies. Somnoliento todavía (quizá por el cansancio que al término de la jornada me tiraba al suelo, desplomado, ya que mi amo era infatigable en su locura de andar de un sitio a otro), apenas si podía entender su prisa. En verdad, reducido a ser una mera sombra suya, sin ningún uso de mi mente, me dejaba prácticamente con la lengua afuera de tanto seguirle.

—Álzate, perro —me dijo—. Hoy oirás a tu verdadero Señor.

Cubiertos por dos sendas capas negras que sacó de

un arcón y luego de transbordar de su lujoso automóvil a una chatarra semejante a la de Fernalio, en una oscura calleja, fuimos a un suburbio de las afueras de Roma, un barrancón a orillas del Tíber, para ser preciso. Allí entramos en una gruta o cueva donde nos aguardaban unos extraños encapuchados. Todos se movían en la oscuridad como ánimas en pena. Había no obstante en aquella negra espelunca una fosforescencia que marcaba el contorno de cada figura sin provenir de ninguna luz específica. ¿Cómo se daba allí esa claridad? El Cardenal se ubicó en un sitial de piedra y yo me coloqué a su lado, sentado en cuclillas en el suelo. Trajeron un bulto vivo, una erinia que no era sino un solo tronco, sin miembros. Su cara bestializada por tan ruin existencia acezaba y se agitaba en medio de sus cabellos erizados como si sacudiera invisibles cadenas. De pronto comenzó a aullar. Su grito se fue haciendo cada vez más agudo y gutural hasta que lanzó una larga carcajada de hiena. Luego se calló. La voz que surgió entonces era armoniosa y melódica como si estuviera sostenida por una vibración de órgano. El Cardenal se arrodilló ante ella y besó varias veces el suelo. Al instante se recompuso y volvió a sentarse. Fue cuando la figura habló.

—Había allí un gran clamor de almas agonizantes. El cielo con sus cirros apacibles se levantaba como un campo de praderas y valles deleitosos, a los que no podían llegar las criaturas que agitaban sus brazos desde la cima de un monte. A su alrededor, los muros a medio alzarse de una remota fortaleza mostrábanse invadidos de feroces serpientes que mordían las rodillas, el vientre, las manos y los labios de los penitentes. ¡Qué no faltaba en el horror de aquellas muertes! El aire parecía de fuego y las dolorosas heridas se hinchaban y los cuerpos se retorcían. Ningún auxilio, ni agua para beber ni bocado que comer. Sólo aquella multitud desamparada de hombres y mujeres que se arrastraban ya paralíticos. Al pie o en las escarpaduras de la montaña un ejército contemplaba mudo la escena inmisericorde. Había llegado allí para exterminar esa terrible gente, pero otras armas o fauces, surgidas de los pantanos y las rocas, daban cuenta ya, anticipadamente, de sus vicios y pecados. Los cuerpos saltaban en su tortura de un lado a otro. Muchos se desbarrancaban, pues ya no había redención para nadie.

¿No era acaso mi propio sueño lo que narraba la abominable criatura? Yo sentí, al oírle, una inocultable vergüenza. En cuanto se calló, en medio de sus prolongados gemidos, resonó la voz del Cardenal.

—Tiempo de destrucción es lo que ven los ojos de nuestro San Brendano que ha hablado a través de esta pitia. Sus pesares son inmensos. También lo es nuestro desamparo. Oh, ¿retornarás alguna otra vez, Señor escrofuloso? ¿Morarán en nuestra tierra tus rosas llagadas?

Luego de un grave silencio habló con voz sacral:

—*Faciamus hic opus divinum et sacrificemus Deo agnum immaculatum quia hodie cena Domini est.*

Los encapuchados se quitaron sus caperuzas y todos eran carunculosos, con deformaciones y carnosidades en sus cabezas, signos de la castración y la represión sublimada. Cada uno, a su turno, se acercó y mordió y arrancó a dentelladas trozos vivos de la carne de la criatura sin miembros que ahora más que nunca se desgargantó gritando, hasta que sucumbió a la devoración.

Por último, quiero referir lo siguiente: De regreso, íbamos serios y callados. En aquel transcurso el prelado repitió varias veces con congoja la misma lamentación:

—¡No hay más salvación para el mundo!

Y parecía ensombrecerse cada vez más. Aquella noche

no dormí. Sabía que una obsesión deliberada dominaba mi mente. Sólo cuando mi amo se aquietó y comenzó a roncar con la boca abierta, me levanté. Agazapado en la media luz de su mechero de aceite me acerqué y le hundí en el corazón el puñalito de oro que él guardaba en sus ropas. Emitió un ronquido ahogado y se fue hundiendo en su ciénaga a tiempo que sus ojos, en una última visión, se abrían y quedaban fijos.

11

Lo arrastraban. No lo dejaban caminar por su cuenta. ¡Como un *méhaigné*!, se dijo. Y se retorcía y gritaba. Oh, ¿dónde has caído, *bel tsibalhé*? ¿Cuál es tu alcurnia? ¿De *cagou*, de *crestat*, de *gabalí* o de *gezitain*? ¡Elige, elige, cristiano de último momento! O más aún: ¡corre a tu guarida, *sens genealogie!* ¿O no eres hijo del cielo?

Porque lo cierto es que ahora estaba cercado y acorralado por esas bestias astrológicas, Aries, Sagitario, Cáncer, Piscis, Acuario, que lo amordazaban y desamordazaban en un *continuum* generativo sin nadie, como si no fuera más que un simple cuajo de informaciones nucleicas, para ir a parar sin otra suerte a la redoma de algún *ghetto* ocultista, rodeado de supersticiones, sueños, ritos y fetichismos, y toda esa ciencia de Occidente con sus símbolos y signos semánticos, sus mitos y tradiciones doctrinarias, sus ectoplasmas y divinidades, euforizándolo desde las zonas más oscuras de sus vivencias psíquicas.

Las ratas lo rodeaban y él sacudía sus patas ahuyentándolas, pero más que voraces parecían ser curiosas. Lo hostigaban como los hombres a su dios. Al final lo devorarían, no cabía dudas. Pero muy poco reposo le daban; un margen tan sólo para que jadeara y cobrara alguna fuerza en su desesperación. De todo esto escribirá Zappo, se dijo en el fragor de un segundo, casi vengándose. Y no dejó de desear que le dieran apenas un mínimo resuello para imaginarlo sumido en una ridícula perplejidad, con el mentón caído y los ojos fijos, mirándose en el espejo y preguntándose con rabia y pudor si al escribir esta lamentable historia no sería él también, Zappo mismo, una de las tantas "representaciones" de la muerte que, como un residuo de sí misma propone, en la forma de un masoquismo erógeno, la escritura como una coalescencia o aleación de Eros y Tánatos.

Tal su personaje: una hipóstasis en tan baldía anfimixis. ¡Pero qué pertinaz el granuja para persistir en su cháchara! Como que todos se rieron cuando él suplicó y vociferó y clamó por llegar a una *reformatio* de su yo, es decir, volver como un muerto a la tierra madre, sin nombre ya, sin raza, sin origen, sabiéndose además una onerosa carga, una piedra caída del cielo. ¿O no pidió acaso, en un acto de anonadamiento extremo, cohabitar con la condesa (su *ecclesia*)?

—Su deseo, aparte de infantil, es abusivamente egoísta —aclaraba Zappo—; corresponde a un desafío incestuoso: ir a través de la madre para asirse a sí mismo, en total desamparo, antes de ser atrapado por ella; es decir, ir al yo puro de su libido solitaria en tanto que ínfimo espermatozoide.

La verdad era que había intentado cruzar indemne un desierto (con su *timor mortis* colgándole de la boca), no para merecer un perdón, sino para superar el asco de morir. Y así, con esta inteligencia patética le replicaba ahora a Zappo, desde su encierro. Se dejó morder. Impávida su mirada en la visión de las ratas, era ya como un ojo fijo que todo lo ve desde la abstracción de un triángulo. Y a través de él se vio correr otra vez, volver a su departamento donde no había nadie, retornar desorientado a las calles y acabar golpeando las puertas de la casa del Yahoo que lo recibió con su pijama estrafalaria. Allí contó todo ante la sonrisa diabólica del funcionario. Y Jessup hasta llegó a tirarle de las orejas como a un niño.

—Usted padece la mortificación de ser uno de los tantos adminículos de la tierra. Alguien reproduce en usted su abyecta indisposición con el mundo. ¿Desea que tengamos en cuenta sus errores, como una pista, para dar con él? ¿O piensa como todo hombre execrable que usted sólo puede conducirnos a Dios?

Tenía conciencia de ser un preso en otro escaparate de la realidad, semejante a uno de esos fantasmas que desprende la polimorfía del sueño que aunque distinto en vida y hábitos y pasado, no dejaba de ser él mismo en la terrible intencionalidad del destino, es decir, un otro Estebanillo que como él estaría ahora resollando en su dolor, hundido en alguna sucia prisión, y a quien sólo la atroz oscuridad de su rincón le permitía distinguir, despierto, las infernales figuraciones del inconsciente colectivo en permanente ebullición. ¿Cómo llegar a ese semejante que sufría como él? ¿En qué reducto carcelario yacería indefenso? Por lo menos él tenía memoria del tramo último de su aventura, donde el Perpetuo aparecía (oh, sí, tal como Napoleón en su caballo blanco) comandando su brillante ejército de soldados uniformados como lustrosos marines. Habían rodeado la montaña, dispuestos a exterminar esa ralea de guerrilleros. ¡Y qué conciencia tenía ahora en medio de los disparates de su imaginación, de haber servido sólo a ella, a esa loca de la casa con la que compuso *in mente* su crónica medievalizada!

Y ahora que lo arrastraban encadenado, el castillo de sus sueños (su castillo de Montségur) volvía a ser ruina otra vez. ¡Y eso que era un inmenso calendario solar, con sus ángulos, equinoccios y solsticios, llenos de fechas y de datos (y también de felonías y traiciones, como chillaban los esbirros) a fuerza de corresponder, *mort per amor,* a los doce signos zodiacales del año! Virtud del cielo en la tierra, piedra ritual o *tholos* de la eternidad. Sin embargo lo acusaban de manejarse con un espíritu esotérico. Pues bien, a qué negarlo si eso era muy cierto, como que aquella disparatada fortaleza (terminada, según había leído, en 1209, por el arquitecto Arnaud de Bacellaria, Señor de Villars) no pretendía ser sino un edificio religioso disimulado bajo la apariencia de una obra militar. Aquel había sido su modelo de imitación para un renacimiento de la humanidad, en los buenos hombres. La mención de Fernand Niel, al respecto, era precisa: "El edificio debía de poder pasar por una fortaleza; las disposiciones del plano de construcción tenían que dar de manera 'disimulada', por medio de alineaciones apropiadas, las principales direcciones del sol naciente." ¿Y qué otra cosa era ser un hombre sino una fortaleza, un enigma, con todos los vestigios arqueológicos de su yo? ¿Por qué entonces doblegarse como un traidor?

Egu! Egu! Egu!

Y volvió a sentir como su trovadorcillo vociferante las picaduras (o mordeduras) de esa insomne legión de invasores nocturnos. Pero ese sol (*Egu*) sólo anidaba en su interior y ya no podía iluminar el mundo. Ahora él también sería una piedra seca (o roja, como el Grial) en su retorno a la materia inorgánica.

Se sentó, se puso de espaldas contra el muro acomodándose entre sus cadenas. No quedaba tiempo. Había que pensar rápidamente. Lo habían sentado también. Los golpes venían de todas partes. Una lámpara poderosa le cegaba los ojos. ¿Quiénes eran aquellos ejecutores, puesto que lo pasaban de un grupo a otro, preguntándole cada vez cosas distintas que él ya no podía correlacionar? ¿A qué hombre buscaban, qué fechorías referían, qué dios querían descubrir detrás de todo aquel embrollo? Sólo su cuerpo parecía ser el nudo de la cuestión. ¿Era tal la inseguridad de aquel mundo que ya sólo dependía de su sol? *Miserere mei, Deus, et Domine refugium, et Deus, Deus meus.* Y allí estaba al final, sin saber él mismo (en su inocencia o culpa) lo que realmente pasaba en el trasfondo de su sueño, luego de que lo encadenaron y lo dejaron solo (¿a él o al otro?) con aquellas ratas que ahora se alimentaban de su cuerpo, tal vez buscando ellas mismas su alma o disputándose hasta el fin, como sus asesinos, ese virtual manjar de los cielos.

Se despertó. Un líquido mordiente como una telaraña le corría detrás de las orejas. Instintivamente levantó la sábana para secarse. Y no sabía al debatirse en tanta aprensión si era la claridad del día lo que hería sus ojos, o un puñal de deslumbrante brillo o su propio terror ante tal pesadilla de la historia. Fernalio estaba a su lado y le sonría.

—*Salute* Don Leprone, Rey de los mendigos, Señor nuestro.

Le dijo que había superado admirablemente su entrampamiento. En verdad era un héroe, un predestinado, un iluminado. Es decir, nadie. ¿Eso oyó? O todavía seguía funcionando en su cerebro la resonancia de esa mortificación de lo divino que aconsejaba: "Mientras vivas, compórtate como un muerto; sé uno entre los muertos; y haz lo que quieras y todo estará bien."

Vio que Fernalio se inclinaba para reverenciarlo. Al alzar la cabeza el truhán hizo un rápido gesto con la mano y embocó de paso una migaja echando una dentellada en el aire con la misma destreza de un perro.

TERCERA PARTE

EL TELAR DE LOS SUEÑOS

1

La mendiga hablaba, hablaba sin cesar y su parloteo había terminado por marear al noviciote. Repetía siempre lo mismo, como un fuelle asmático y gangoso. Su boca de labio leporino se abría y se fruncía semejante a la ventosa de una sanguijuela. Además, con gestos mecánicos y serviles, reproducía a diestra y siniestra sombreradas y cortesías cual si asistiera a un loco desparramo de pasantes escurridizos. Al farfullar su ruego estiraba un brazo seco y rijoso y se agitaba e inflaba con algo menos que aire su pechugón de ave, mintiendo una sonrisa letífera al tiempo que escondía su garra entre las hilachas, un juboncillo con mil ventoleras y banderolas donde guardaba sus limosnas. De este modo le enseñaba al tunante de su marido las artimañas de una tan compasiva representación de la miseria. Pero el pobre apenas si lograba secundarla en sus mimos desde que el Rey Leprone había decidido casarlo con aquella equidna, Lopamudra, tras una larga ceremonia nupcial en la que no faltó el agraciado desfile de contrahechos, todos gibosos o deslomados, afectados de espibia y cifosis; al avanzar se asemejaban a una bandada de desenterrados, medio corroídos ya, con las bocas descarnadas o desdentadas, sin narices o desorejados, o con las frentes abolladas, pitarrosos los más, virolentos o despigmentados el resto, verdaderos pigros de lazaretos, con mechones raleados o calvos o barbados a pelluzgones. Y más atrás, cerrando el séquito, un hato de mujeres curcunchas, lunancas y vejarronas que aullaban más que reencontradas Aónides. En verdad, Fernalio, el recién casado, se caía de sueño aunque se esforzaba por mantener la parodia con seriedad frente a

Bettina que lo observaba, radiante y cruel y majestuosa en su disfraz de Don Leprone (con Estebanillo a un lado, relegado otra vez a su papel de clerizón), puesto que ella era quien le había impuesto aquella unión matrimonial para la que hubo más de una decapitación voluntaria y más de un acto de acoplamiento en homenaje a los cónyuges.

Más tarde Zappo se reiría a más no poder de aquella ocurrencia digna de Acclivitas.

—¡Sois mis ángeles! —lloraba de felicidad—. Que así ha de ser el cielo con su escrofulosis y santas lúes.

Se había incorporado casi con ahogo en su lecho e instintivamente sacudió la cabeza para borrar esas imágenes obsesivas ¿de su sueño?, ¿de su novelería? ¡Él, tan luego, trajeado a la clериguicia! ¡Y aquellos mendigos! Se afirmó sobre un codo y permaneció un instante así deseoso de conocer el desenlace de la historia. Luego se derrumbó pesadamente y no dejó de experimentar una intensa dulzura al poder estirarse y llegar con los pies a los fríos rincones de las sábanas. Su propia molicie lo extenuaba en ese imperceptible balanceo de su respiración. Flotaba adormecido entre algas, con el cuerpo mojado por una leve gasa de espuma que erizaba sus vellos al menor roce con el fresco del amanecer. Aquel placer parecía provenir de minúsculas olas como si su cuerpo volviese a surgir de blandas turbinas maternas y arrebatados muslos marinos, gozosos en su propia disolución. Pero sólo quedaba la escoria de un cansancio que le venía de la noche anterior. Entonces comprendió que su despertar no correspondía a la divinidad de su ser adolescente, sino a la ira de su tensión de perseguido. Se estremeció en su catre (oh, tan estrecho como la muerte) y casi saltó de él para moverse, sonámbulo, entre trastos y papeles y un montón de desechos inútiles que un pérfido Sargazo de infortunio había arrojado sobre aquella orilla. ¿O no había regresado acaso a su Córdoba natal?

Ahora percibía la trama de lo real. Tan sutiles eran las diferencias que no las distinguió de primera intención, como que hebras intangibles de luz lo habían apartado del ámbito de su encierro, reteniéndolo en una vertiginosa sucesión de imágenes vívidas, donde él asistía a un mundo momentáneo y fugaz, pero igualmente dominado por leyes inexorables de acoso y persecución. Pero él, entre esas láminas, no era más que la roña de un ser solitario. —Igual que el mundo de los alquimistas —se dijo—, que obsequiaban dones a Dios sin dejar de administrarlos ellos mismos y sin revelarlos a otros. Se asombró de esta compostura de la insinceridad que lo impulsaba, por el método de una falacia, a atribuir a sus maestros revolucionarios la razón de su heroísmo. Porque había que hincarse siempre ante una causa sagrada y divina. De otro modo no lo entenderían y ni siquiera quedaría a salvo el egoísmo de su inautenticidad. Por ello, más que un iluminado o un elegido se sentía un maniático y un embaucador. Al mismo tiempo, en el ramalazo que le dejaba ese oculto rencor, reconoció que lo que le creaba (tanto en el sueño como en la vigilia) tal estado de acidia, no era sino esa ridícula indumentaria que allí usaba, de putón de los altares.

Se esforzó otra vez por inducir cómo seguía aquella historia. Zappo había dejado de reírse y ahora tosía y jadeaba secándose los ojos en su relajación. A su lado, tétrica y mustia, la condesa permanecía como una momia de entierro. Los demás callaban. ¿O acaso esperaban (en tu mente, Estebanillo) , cual sortilegio, el toque de una acción que los vivificara? Leves golpes sonaron en su puerta. Los dos hombres que esperaba habían llegado. No tardó en arreglarse y vestirse y tras colocar su máquina de afeitar en el fondo de un maletín, salieron. Córdoba le seguía resultando tan extraña como el primer momento en que retornó a ella (ya, por fortuna, sin ningún yo). A esas horas de la mañana sus calles estaban colmadas de gentes y sus vehículos se movían fuera de sus señales en las calzadas, girando y encimándose en las bocacalles como una torrentada difícil ya de contener. ¡Tan distinta, se dijo, a sus años de adolescencia! Desde el automóvil en que viajaba se esforzó por distinguir las iglesias que en el viejo plano de la ciudad formaban un cordón de extramuros. Pero ahora costaba reconocerlas entre el estrechamiento de nuevos edificios que no dejaban un espacio libre al aire. Las calles mismas parecían todavía más anónimas y estrechas en aquel hacinamiento. Ningún respiro había en ellas para la distracción de los ojos que así se replegaban hacia la dureza y la hosquedad. Lo que más extrañó fue la falta de cielo de aquella ciudad con un sol que se derramaba demasiado brillante como una plancha de metal. ¿Pero no era así también el sol de Roma, ardiendo como un fuego blanco por encima de la suciedad de sus muros? Pensó que solamente él añoraba el sol húmedo de los montes, siendo tan hábil como era en camuflar escondrijos y servirse de las sombras de la vegetación para vigilar desde allí el desplazamiento del enemigo. Le pareció que iba a toser de nuevo y se llevó prudentemente la mano a la boca. Su propia cara entonces, armada con un bigote recortado y fino, le resultó imprevistamente ajena. Y tuvo que hacerse una vez más a la idea de que estaba desfigurado.

Pero todavía la acidia lo corroía. ¿Por qué había vuelto a esta ciudad? ¿Por qué, luego de Moscú, Pekín, New York, o la Roma de sus sueños (cuando era monaguillo o alguna vez de incógnito) o París (vía Moscú), o cualquier otro rincón del mundo (selvas, montes, pantanos) adonde lo había llevado su (sellada insinceridad), después de su encuentro en México con aquel Leporello o revolucionario de bragueta? Sentía un profundo rencor consigo mismo como cuando se dio a beber *raki* con roquefort y hablar de lealtad y disminuirse a sí mismo (como persona) ante el fragor de aquella revolución triunfante que ya, al día siguiente de su fasto, comenzó a burocratizarse. Solía sacar a empujones de su despacho a los charlatanes que no podían reprimir sus tendencias al misterio y al oro de fabricación casera. Farragosos saduceos o vaya a saber qué clientes de asociaciones gnósticas metidos en el cinturón de aquel Holofernes barbudo que ya se alimentaba sólo de grandezas como en un circo. Gritos de inmensos mitines era el resultado de aquella cosecha del terror, mientras la historia escurría su demencia por vericuetos de traiciones, una loca sed fálica en el entusiasmo de los coribantes y luego el orgasmo de la soledad, apurándolo con su puñal de sollozos. ¿Cuál era entonces su drama? ¿El miedo? Miró por la ventanilla del coche mientras su mente volvía a treparse a su cama de adolescente con tantos libros desparramados por todas partes y aquellos criptogramas bizantinos que había sacado, buscando ejemplos de vitrales, de los armarios de su padre. Pero su propia ciudad lo rechazaba ahora, hijo del cielo, sin arraigo.

Sin darse cuenta de que pensaba en ello, vio que Zappo se había repantigado en el suntuoso sillón de felpa roja, con sus molduras de bruñido trono. Hablaba del regreso de Lifar con una ironía que iba contra el embajador Belial que allí se mostraba tenso, con los ojos desorbitados y la lengua casi fuera, mientras Bettina practicaba ante él, con intencionada picardía, ese viejo arte cretense del autodeleite y la provocación. ¡Cómo novelaría aquella escena! Se sonrió al pensarlo. Porque era evidente que la condesa ya se lo había dicho: —¡Hacerlo, sí pero en un lecho de serpientes! Sabía que la ofiolatría no era precisamente el fuerte del diplomático, pero a cambio de sus neuralgias testiculares, quién sabe. Para su seguridad de que tales serpientes eran totalmente inocuas y no le harían aparente daño con sus succiones, Zappo se hizo cargo de tan costosa explicación:

—Tales prácticas corresponden a las formas superiores de una *Nekyia psicológica* —comenzó diciendo—. Se trata de reproducir el fenómeno de la *circumambulatio,* es decir, llegar al *centro* del inconsciente. El placer erótico, que es pura dispersión de la energía que provoca el terror, quedará de hecho superado desde el momento en que los controles de la defensa instintiva del cuerpo ceden sus reflejos a un acto puro de conciencia. La regla es no oponerse, no resistirse a la ávida devoración que fingen esas bocas y a las contracciones que provocan sus nudos al enroscarse. El placer entonces se concentrará en su raíz, como si el cuerpo, objeto del gozo, fuese en su complexión ajeno al goce mismo. Así, en su loco intento de posesión de Bettina, se producirá su propia desposesión, mayor aún en el momento culminante de la eyaculación en que usted ya no dará signos de vida, porque la vida estará envuelta en un supremo velo de irrealidad.

Pero el embajador Belial no escuchaba, gimoteaba en su desesperación por persistir en la normalidad. Así lo afirmó en súplica desatinada.

—Es que no hay normalidad. Sólo hay violencia —concluyó con grave irritación Zappo.

Miraba los aledaños de la ciudad y, más adelante, los caseríos que ya comenzaban a ralear en el camino que llevaba al aeropuerto. Todavía no había logrado concentrar su pensamiento y los motivos que reclamaba su más íntima indagación permanecían tan desconectados y anónimos como las casas que se deslizaban a los costados del coche. Sólo sabía que los últimos años habían sido amargos como sus triunfos. Había perdido en ellos su cohesión interna y muchas veces se había visto actuar como un verdadero loco por el solo hecho de tener que ocultar su natural modestia tras el gesto demagógico del héroe falso. Un monigote para las masas y los infernales visitantes que lo habían acosado durante tantos meses. Había huido de todo ello, buscando únicamente el signo de la negación hasta en sus propias decisiones. Y ahora estaba otra vez como al principio, procurándose un sitio, ya escondrijo o baluarte, para desencadenar su lucha inútil con el sabor anticipado del desastre y la crispación constante de sus nervios. ¿No era eso mismo retornar al miedo? Comprendió por fin que la ciudad lo había purificado al reducirlo otra vez a su nada ambulante, tal como solía sentirse allí (siendo muchacho) al moverse entre sus gentes, sin mirar otra cosa que sus zapatos gastados como si no fuera más que un par de piernas sin cuerpo, semejante a un fantasma irrisorio, víctima ya de su espejo interior que no devolvía imágenes salvo un hueco negro, una morada que los dioses habían abandonado quizá el mismo día que nació. No se le ocultaba que había nacido sin fe. Luego le atribuiría a esa oscuridad de pozo el valor de un sol vivo, al devolverle a su alter ego la docilidad que él nunca tuvo, oh Estebanillo, fiel y eficiente servidor en un mundo malvado. De este modo pudo pensar que Zappo, al prolongar indebidamente su silencio, no hacía otra cosa ya que fingir un desagrado que le venía de perilla, como que prontamente se levantó y palmoteó al humillado Estebanillo que aún no aceptaba haber sido destronado de su reino de macacos.

—No puedes negarte a ser tu propia destrucción. Es el don de la sabiduría. Quien ve el mundo desde abajo ve mejor la humana condición. Tu *Don Leprone* será Lifar.

Sacudió los hombros y torció la cabeza con fastidio como si el retorno de aquel farabute no lo convenciera del todo. ¿Por qué sacarlo de su encierro de locos donde tan bien estaba, sabiendo además que sólo era una moneda falsa en su alcancía de pobre? Ya le escocía el seso el tintineo de aquel cilindro o duda. ¿Pues qué otra cosa era su hábito de narrador *in mente* sino hurgar como un mico en tan simbólica ranura sin otro cuchillito que su razón escuálida? Mejor sería que sacudieras de tanto en tanto tu propia berenjena para que no se frunza como pene moldavo. Estiró sus piernas que hasta entonces las había traído encogidas como un feto.

—Puede sentirse usted aliviado —se le dijo al llegar—. Nuestra misión está cumplida.

Y otra vez estaba solo en la sala de espera, con su aspecto de corredor de bolsa, atildado en su traje de alpaca azul, tan lustroso como el de una sotana. ¿Estarían velando por él los guardaespaldas que lo acompañaron? Ya no sabría distinguirlos ni reconocerlos entre esa multitud de viajeros que se agrupaban y movían a su alrededor. ¿Qué dirían, pensó, si les gritara mi nombre, si les dijera que yo era el mismo rostro que ellos amaban y admiraban secretamente? Se veía colgado de un afiche con su gorra y sus ojos de mirar profundo y su barba y pelo de nazareno, haciendo estrilar asambleas de estudiantillos, mientras él allí apenas si podía moverse entre las gentes o mirar sus zapatos para ver si realmente pisaba la tierra o flotaba a escasa distancia del suelo como correspondía a un elegido. Pero eso hubiera sido terrible, lo hubiese denunciado inmediatamente de sólo caminar hacia la escalerilla del avión.

2

No parecían ser los mismos aquellos ojos de Lifar. Estaban sombreados por negras ojeras, las que unidas a una dura mirada de ave de rapiña le daban un aire de ermitaño feroz. Tenía la frente más espaciosa, pero las fuertes arrugas que en ella se marcaban tendían a mostrarla un tanto abatida por pensamientos misteriosos. Prácticamente su sonrisa había desaparecido y había algo de pétreo en su figura. Se movía con torpeza evidente, quizá para demostrar su desapego del mundo. Nadie había esperado tal transformación, ni siquiera la astuta Bettina que anhelaba encontrar en él al mismo sochantre de feria, ávido de sexo y repugnante como un camaleón. Pero lo habían castrado, con paciencia china, según contó, clavándole en sus colgajos finas agujas con hilo, hasta vaciarle los órganos tirando precisamente de esas hebras humedecidas.

—Una vida a cambio de otra —agregó sin inmutarse.

Y nos habló de su iniciación en el chamanismo, la nigromancia y el vampirismo.

—En el *Sepulchretum* —nos dijo— conocí a un aristócrata inglés que se prevalecía de pertenecer a varias sectas de curanderos y antropófagos, integradas por miembros de la más alta alcurnia del Reino. Se hacía llamar el "jamelgo ahorcado" y en sus momentos de trance andaba en cuatro patas, pasando de acuerdo con las fabulosas sugerencias de su erudición de un animal a otro, mientras escalaba imaginativamente el orden de lo creado. Comenzaba a moverse por los corredores asustado y chillando como una ratita y luego crecía en su interior como el perro-serpiente Escila o el tigredragón de Insulindia, o el león-halcón del zodión mazdeico. En esos sucesivos estados de transustanciación ladraba, ronroneaba o rugía, lamiéndose muchas veces con morosidad los nudillos de sus garras encallecidas. Después no quedaba otra cosa que esperar con paciencia el estallido de su estampida cerebral, pues sólo a través de un arranque frenético le sobrevenía su cuadriga mística. Se sacudía entonces convertido en esas cuatro fuerzas desatadas del mundo, Xanthos, Podargos, Lampos y Aithon, una caballada que en su alteridad lo hacía sacudirse, corcovear, relinchar y despeñarse con tal dispendio de patadas, manotazos, retorcimientos y cabeceadas que al final quedaba exhausto, aunque transpuesto a la plenitud de un éxtasis santo. Era el instante en que se sentía transformado en un psicopompo, mientras el ágil dios del tiempo, Aión cruel o *deus leontocephalus,* lo alzaba por los aires y lo transportaba colgado del cuello por medio de un cordel hecho de pelos de doncellas. En sus ratos de lucidez me llamaba irónicamente "asno de tres patas" y se reía de mis testículos desgarrados. Pues bien, fue este ilustre lord el que me enseñó el arte de convocar a los muertos. Mis primeras prácticas resultaron, por cierto, desastrosas. Convoqué a Napoleón que luego no quería volver al destierro de los difuntos. Convoqué a un Stalin con grandes alas de murciélago que aleteó todo el tiempo gritando: *Vot tam cheloviek!* A Pío XII que me pidió de rodillas que intercediera ante algún obispo para que no lo hicieran cantar más salterios ni aleluyas en el cielo. Mi maestro me gritaba: —¡No los perturbes con tus asociaciones de pillete! Pero este poder, ah, tan perfeccionado luego —agregó suspirando— me está prohibido ejercerlo fuera del hospicio.

Sacó entretanto de un bolsillo un vespertilio que parecía muerto. Extendió sus alas membranosas y al mostrarlo todos percibieron que el animalejo se agitaba con un leve movimiento contráctil.

—Esta pipistrela pertenece a nuestro reino constante. Sus arañazos y mordiscos inoculan en los hombres la rabia o la lepra. Desciende sigiloso sobre los que duermen, personas o bestias, y mientras chupa su sangre colma de pesadillas el ánimo de sus víctimas. Pero puede ser también inofensivo como un pañuelo.

Y soltó contra el rostro de Bettina el volátil quiróptero que vino a caer sobre sus faldas sin ser ya otra cosa que un breve tul negro. Bettina aun se resistía a recogerlo con sus dedos. Luego de este artilugio prosiguió:

—El vampirismo, en verdad, es sólo una leyenda atroz que enmascara una abyección. Lo convierte a uno en un animal tan degradado como Cerbero cuando Heracles lo apaciguó haciéndole comer tortas de miel. Es el culto por el flujo cíclico de Afrodita. Y también el vicio de Anubis, el chacal del retorno incestuoso al jardín de los muertos.

Había recobrado su voz estentórea que no obstante sonaba como si hablara desde el foso de un sepulcro. Se levantó y con espectacular soltura giró sobre sí mismo extendiendo su brazo derecho y trazando con el índice un círculo mágico a su alrededor. Inmediatamente un viento de sombras sacudió la sala y todos, arrastrados por un torbellino, vinieron a caer en un paraje sórdido, de árboles retorcidos, en medio de un humo flotante que ocultaba los pies. Comenzaron a oír cánticos plañideros. Una larga procesión de penitentes que parecía descender de lo alto de una colina, avanzó hasta ellos. Sus rostros carcomidos denunciaban la corrupción de sus almas piadosas, tan cerrilmente disciplinadas en la insanía de aquel jolgorio de devocionario. Iban de dos en dos y según se podía inducir por el conocimiento que al respecto aportan las tradicionales escatologías, cumplían ese proceso de conversión de los seres que parte de la bienaventuranza y se hunde paulatinamente en la condenación, para elevarse desde allí al estado de gracia y recaer otra vez en la degradación de los pecados.

—Eternidad loca —musitó Estebanillo aterrorizado por tal visión hipnótica.

Uno de los penitentes alzó la mano y señaló en el centro del cielo una radiante aparición. Allí sentada en un solio que despedía rayos intermitentes como si tuviese un sol detrás, estaba ¡tan cercana como infinitamente lejana! la condesa Messina que parecía sonreír celestialmente en el arrobo de su rostro impenetrable. Entonces se oyó el clamor de gozo de los presentes. Volvían a su realidad mientras aplaudían en la persona de la condesa el desenlace de tan sublime rapto.

Pero la alegría que siguió al mágico encantamiento se trocó al instante en sorpresa total, al descubrir todos, con verdadero asombro, la presencia en la sala de uno de aquellos penitentes del trasmundo que a su vez los miraba con perplejidad, sin poder explicarse él mismo la razón de su traslación allí. Lifar se agarraba la cabeza con desesperación.

—Me estaba prohibido hacerlo —se quejaba desconsolado una y otra vez.

La figura despedía un fuerte olor alcanforado.

—¿No es usted acaso San Falonio de Gubbia? —le preguntó deductivamente Jessup.

—Sí —respondió el esclarecido varón.

—Oh, el santo que usted buscaba —prorrumpió dirigiéndose al embajador Belial—. Mire usted la casualidad. San Falonio —explicó el Yahoo para todos— fue borrado del santoral porque su historia de milagros no convencía a nadie o avergonzaba a todos después de varios siglos de veneración. Fue un manso pastor que de viejo se le dio por servir al prójimo. A él se le atribuye la curación de la impotencia, la orquialgia y la elefantiasis. Sus remedios eran más bien caseros y espirituales como embadurnarse las verijas todos los días con barro y pasearse desnudo en un prado lleno de flores, en *perpetuale tranquillidade e temperanza*. Pero dio la mala suerte, oh legendarios tiempos del medievo, que los que lo hicieron o los comieron los lobos, o los mataron serpientes o hierbas ponzoñosas o fueron devorados por las hormigas. Se le atribuyó el maleficio de esas desgracias y lo colgaron de un alcanforero. De ahí su olor. Pues bien, todo el tiempo en que estuvo allí ahorcado se lo pasó sin embargo cantando, con tan dulce voz que despertó el celo violento de los animales que se acoplaban sin darse respiro alguno. Los hombres de aquella región tan franciscana también comenzaron a padecer el mismo furor paradisiaco. Incluso creo que célibes o timoratos hasta llegaban a practicar el animalismo. Pero aquel estímulo cesó cuando por gracia superior quedó visiblemente muerto y mudo, después de largos días de agonía y feliz martirologio. Sólo los pájaros cantaban a su alrededor y las fuentes del bosque, como lágrimas, colmaban los arroyos de aguas en abundancia.

—Ésa es una leyenda falsa —protestó Falonio con una voz ya encenizada—. Yo únicamente he curado en vida el reumatismo, la tortícolis y el lumbago, no empleando otra cosa que el bendito alcanfor. De ahí mi olor. Pero nunca he tenido nada que ver con esas historias sicalípticas. Es verdad que morí ahorcado y colgado del mismo árbol, pero eso fue por no querer cobrar prebendas para beneficio de la clerigalla. Me acusaron entonces de latrocinio, rapiña y de menoscabar honras, aunque luego, debo reconocer, me canonizaron.

—Y descanonizaron —replicó con sarcasmo Jessup.

—Sea como sea —terció impaciente Zappo que ya quería por lo visto deshacerse cuanto antes del aparecido—, lo cierto es que le pertenece. Es suyo. Llévelo —le decía al embajador—. Él de algún modo le devolverá sus bríos.

Belial, sumiso en apariencia por cuanto no deseaba entorpecer por ningún motivo cualquier oportunidad de servir y acatar pensando que alguna vez el premio a tantos afanes pudiera ser Bettina, invitó cumplidamente al santo (si es que algo todavía podía esperarse de él) a que lo aguardase en un rincón de la sala hasta que terminara la velada. Pero esta no duró mucho tiempo más, sino el suficiente para que Zappo lo aleccionara a Lifar en su nuevo papel de rey de los mendigos. Al final la condesa se retiró a sus aposentos, seguida de Bettina que ahora hacía de su dama de compañía. Lifar prefirió recogerse en un convento de clausura donde tenía alojamiento. Jessup y Estebanillo entretanto, de regreso a sus casas, acompañaron de paso al embajador hasta su automóvil. El embajador iba silencioso y, en el fondo, consternado, pues no sabía precisamente qué diablos hacer con ese esperpento de ultratumba que ya lo seguía como un golem.

3

Lo primero que hizo Lifar entre los mendigos fue hipnotizarlos. A los ciegos los mandó decapitar. Solamente perdonó de ese despojo de conciencias a Lopamudra, la mendiga soez que aparte de rascarse y aplastar piojos y jadear todo el día con su pecho lleno de silbidos, tenía una inteligencia sobrenatural para el mal ajeno. Lifar la descubrió en seguida y la tomó de secundona y con su asistencia fue sojuzgando la mente de esos ilotas. Lopamudra los hacía formar en fila india. Unos se arrastraban faltos de miembros, otros ya identificados totalmente con un falso baile de San Vito que en sus comienzos se les mandó imitar, avanzaban con un tiritamiento aun más acelerado; otros seguían con sus deformaciones vocacionales. En fin, toda aquella cohorte de desdichados y despojadores fueron compareciendo ante Lifar, mientras la agresiva Equidna los empujaba y maldecía o decidía su liquidación incluso en contra de la voluntad de su amo. Lifar tuvo que reconocer, más allá de toda duda, el valor de su eficacia y acabó por respetarla en sus actos más viles. Al término de su tarea magnética, este nuevo *Don Leprone* (omnímodo) descansó de su loca cosecha explicándole a Bettina que lo acompañaba, el fondo visionario de su acción.

—Los he retrotraído a la visión de San Pacomio que vio en el fondo de un valle sulfuroso a una muchedumbre de monjes que rezaban, llorosos y desdichados, sin poder alcanzar con sus oraciones ninguna comunicación con la gracia. Óyelos ahora en sus aberrantes murmuraciones.

El rumor surgió tan perfectamente sincronizado que Lifar se gozaba en controlarlo como el director de una masa sinfónica, haciéndolo crecer a ratos o acallándolo en parte, en tanto que otro sector reproducía el atropello de las plegarias como ráfagas o tambores. Marcó por puro gusto un *totum* terrible que luego cortó de raíz con un solo gesto de su mano. El antro quedó sumido en un silencio atroz. Lifar, engolfado en su vanidad, no le ocultó que en ese manejo de las voces se sentía lo mismo que Jubal ante un coro de orates.

De pronto se sinceró.

—Tengo que convertir este *Hortus deliciarum* en una secta de homúnculos yectos. Es deseo de la condesa.

Tú sabes cómo adora ella las viejas prácticas teúrgicas de suplantación de lo real. Pero en nuestro caso el proyecto responde a una intención puramente avara. Se trata sólo de provocar la bilocación de estos seres para lograr así un mayor número de mendigos y doblar sus ingresos. Oh, es la ciencia del cuerpo que se duplica a sí mismo, pero no como una *psyché,* prisionera del cuerpo, que se libera en sueños o después de la muerte, sino como el *nous* mismo del cuerpo que se corporiza en otra parte, multiplicando de este modo también las fuentes del odio del universo. Sólo se logra mediante un acto manifiestamente irracional, cuya simbolización plasmadora escapa, de hecho, a toda comprensión posible. En verdad, se trata simplemente de desprender ese yo "oculto" que existe (sin memoria aparente en la vida consciente) en el fondo de la complexión magnética de todo organismo vivo. Es, si tú quieres, el espíritu de la materia, espíritu sórdido, rencoroso y fétido, al que la muerte misma apenas si logra devolver a su reducto inmundo. Este fenómeno es de muy difícil manejo: puede desatar pestes, generar hedores insoportables, sembrar de máculas el mundo. En principio hay que curar al individuo que se use de sus residuos de locura. Para ello hace falta contar con la intervención de arimaspios y sus grifos que en el chamanismo arcaico del Asia Central solían colaborar para restituir en los hombres su más genuina pureza e inocencia. Son demonios de un solo ojo y sus asistentes, horribles pajarracos, poseen picos dentados con los que roen y devoran las imágenes de nuestros sueños. Parece ser que un viejo mago, Hermótimo de Clazomene, logró domesticarlos para uso propio. Según se dice alcanzó por este hecho la inmortalidad y la impunidad en el ejercicio del mal. ¿Qué pensarías si te dijera que su figura secular, muchas veces confundida con imágenes litúrgicas, como Sakiamuni o Ubu, se parece mucho a la de nuestro Zappo? Uno de los rituales para lograr la bilocación es rodear con mechas encendidas la cabeza del ubiquitario. Si no se quema logra la duplicación. Veamos.

E hizo venir (por mero mandato mental) a un mendigo de ojos extraordinariamente azules y finas facciones de místico (quizá uno de esos crédulos que baldó e inició Menotti-Cicognard). Le ató a sus guedejas rubias y ensortijadas unas sogas o cuerdas de esparto y se las encendió. La figura parpadeó y gesticuló con visajes de poseso, pero por virtud de otra fuerza dominante, inmóvil se quedó como un bonzo. Y como un bonzo se fue quemando, de arriba hacia abajo, hasta que ardió totalmente convertido en una pira.

Ante tan incomprensible fracaso Lifar quedó alelado. Pero necio en su cerrazón volvió a repetir el experimento, dos o tres veces más. Inútil empeño. La verdad era que de aquellas antorchas o turíbulos humanos no quedaba sino humo y cenizas que Lifar, rabioso, esparcía con sus blancos zapatones de raso. Su propio traje de chambelán daba grima de tan tiznado que estaba. Lo mismo podía decirse de la cripta o jardín de los mendigos: ya resultaba insoportable con tanto olor a trapos, pelos, cueros y huesos quemados.

—Hazlos dormir previamente —le recabó luego, Zappo—. Hay que dejar que operen en sus mentes los arimaspios y sus aguilones. Además, cuenta con ellos. Y tú, encomiéndote por lo menos a San Avalón, santo en extremo casto y pundonoroso, que (como si hubiese revivido en pleno medievo el culto de Apolo Hiperbóreo, tan asociado aún hoy al mundo de los perfumes) instauró en sus conventos de monjas, de absoluta clausura, la práctica de convertir en ámbar o incienso (sea para la venta o uso de los altares), las ofrendas de saldos masturbatorios que caballeros desinteresados o inducidos a ello por nobles penitencias depositaban en sus pilas giratorias, labradas *ad usum,* y que luego, sin el menor contacto con el mundo exterior, recogían las santas manos de esas "doncellas-cisnes" o avecillas nocturnas, ya que ellas, para ahuyentar al demonio, sólo vivían de noche, sin ver jamás el sol. Él te reparará de cualquier resto de concupiscencia que exista en tu mente.

Pues bien, sea debido a San Avalón o a la poderosa obra de los arimaspios, lo cierto es que Roma se pobló al día siguiente de tal cantidad de mendigos, todos moviéndose como sonámbulos o espectros, que era para pensar o bien en el Día del Juicio o en el advenimiento del Reino de los Cielos. Lifar descansaba, orondo, tirado en un sillón y junto a la condesa, como al final de un trabajo de Hércules.

4

Tota deformitae repletam. ¡Así estaba, por cierto, la embajada de Belial! ¡No en vano su golem, San Falonio, había adquirido tanta notoriedad en el mundillo de la diplomacia! Su influencia, en verdad, había resultado allí fatídica, pues aparte de haber curado los aires de esa sede con su olorcillo saludable y penetrante (lo cual la hizo asemejarse rápidamente a un hospital), provocó entre sus funcionarios y asistentes un acrecentamiento tan inusitado de reumatismos, tortícolis y lumbagos, que sus pasillos, corredores y oficinas se vieron prontamente pobladas de sujetos que se movían con lentitud de ancianos, con sus manos apoyadas sobre la región lumbar, sus cabezas torcidas o friccionándose con destemplanza las muñecas y las rodillas, en tanto que otros se esforzaban por enderezarse de posturas mal tomadas del cuerpo, reflejando al hacerlo sendos gestos de dolor. Hasta Jessup advirtió moverse con dificultad sintiendo amagos o signos de parálisis en las piernas.

Pero los efectos sobre Belial fueron distintos. Empezó a mostrarse eufórico al comienzo, pues su poder de erección había aumentado muchísimo (insistiendo por ello, más que nunca, en su recompensa con Bettina), aunque a los pocos días tan jactanciosa situación vino a convertirse en un priapismo agudo que incluso le impedía caminar. Entretanto Falonio, como un verdadero ser de otro mundo, ni se molestaba siquiera por las ocasionales reprimendas de que era objeto y se lo pasaba, especialmente de noche, asomado a alguna ventana, mirando interminablemente el cielo. De día apenas si se animaba a mostrarse entre los mortales. Permanecía escondido en las habitaciones del embajador. Y cuando Belial, harto ya de su presencia, se lo quiso transferir a Jessup, éste lo destinó al plantel del personal de servicio, de donde lo rechazaron con horror. Los cocineros, por una parte, temían que les convirtiera en ceniza las comidas y, por la otra, los empleados de limpieza tampoco soportaban su proximidad, ya que dejaba al andar un extraño polvillo que sin duda caía de su sayal, hecho jirones a la altura de sus sandalias. Lo cierto es que comenzó a deambular, como un perro enfermo, por los jardines y patios interiores del edificio de donde a su vez lo corrieron sus cuidadores y peones. La mujer de uno de ellos, que vivía en uno de los últimos recovecos de la embajada, acabó alejándolo a escobazos cuando el venerable varón quiso resguardarse (¡tan luego!) en la letrina que ella usaba. No le quedó, pues, otra posibilidad que volver sobre sus pasos y vagar sin remedio por todas partes, entre insultos, empellones, escupitajos, amenazas, patadas y coscorrones que le propinaban sin asco y con rabia todos los moradores de turno que ahora padecían vivamente de espasmos y encogeduras. Los pasillos se llenaron de polvo por falta de adecuada limpieza, comenzaron a crecer en los canteros zarzales espinosos, y cuervos y buitres, como si estuvieran en las vísperas de regalarse un festín de carroñas, se asentaron en las cornisas y ventanales de la legación. Belial estaba desesperado. Sólo Jessup quería resolver la cosa de una manera sutil.

—La imprudencia del cielo es enorme —protestaba—. Y de nada vale para el caso elevar preces verdaderas o falsas. Según entiendo, habría que derivar este acto de belleza celestial (o sepulcral, que es lo mismo), a su justa proporción paraclítea. Es decir, hacer lo que hizo Tertuliano al reducir la *divinae amoenitatis* a un simple artilugio poético, esto es, a mera estofa del espíritu. Del mismo modo, por analogía, ¿no solemos nosotros reducir ciertos misterios de la fe a meros responsos de nuestras triperías? ¿Y por qué no hacer lo mismo con su huésped? *Primo mangiarlo e dopo digerirlo...*

Pero la sola idea de engullírselo al golem estremeció de asco al embajador. A su juicio no quedaba otra cosa que replantearle el problema a la condesa y a Zappo para que ellos lo obligaran a Lifar a subsanar su error y devolver a su lugar de origen a esa hipostática y maléfica emanación de los cielos. Conscientes, pues, de sus responsabilidades como funcionarios y moviéndose ambos a duras penas, uno apoyado en el otro como dos inválidos, salieron y así llegaron, para consternación de todos, a la mansión de la condesa donde Zappo y los otros apenas si podían creer que tanto daño les hubiera ocasionado San Falonio.

—Por prudencia no quise decir nada —se lamentó el embajador.

—¡Qué prudencia! —lo recriminó Zappo—. Son sus

maquinaciones egoístas. ¡Vea a dónde conducen sus ilusiones fálicas! La solución es muy sencilla. ¡Entiérrelo! ¡Cómprele un cajón y entiérrelo en cualquier parte! Será por lo menos el único de ustedes que asistirá intacto al día de la resurrección de la carne.

Así lo hicieron aunque Falonio se resistió de veras. Lo sepultaron o lo dejaron de noche en una de las tantas cuevas del Vaticano. Los males comenzaron ya a desaparecer al día siguiente. No obstante, el olorcillo persistió todavía un tiempo más. Jessup volvió a sus hábitos excrementicios y a sus tramoyas de sabandija analosádico. Sólo Belial extrañaba, pensando en Bettina, la pasajera tumescencia de su vigor priápico, que ahora parecía haberse concentrado un poco más abajo, hasta dolerle como dos pesas.

5

Estebanillo se horrorizó ante el nuevo proyecto de la condesa. Lo había oído casi con incredulidad de boca de Jessup. Al referírselo el Yahoo se reía de su estupor mientras oliscaba con fruición sus uñas malolientes.

—Parece el residuo de una mala doctrina órfica, pero esa doble presencia ya fue denunciada por Ferécides de Siros. El hombre tiene dos almas, una *divina* y otra *terrenal*, según la terminología que él usó para distinguirlas de algún modo. Ambas son inmortales, por supuesto. Sólo el cuerpo es tumba y corrupción. La cuestión que se nos plantea es cuál de esas dos almas ha prevalecido en el accionar del hombre. La condesa se ha preguntado, en un rapto de lucidez intemporal, si pudo haber sido distinta la historia de la humanidad. Al menos, quiere conocer algunos rasgos de esa cosa distinta. Usted tiene que averiguarlo y darnos un informe de su investigación. Sabemos que aquí mismo, en Roma, existe una secta que ya ha asumido esa alma inédita y vive de acuerdo con sus categorías. Encuéntrela o interiorícese de sus principios y costumbres. Tendrá un ayudante, pero no será Fernalio. Para el caso nos resulta demasiado racionalista. Su Virgilio, por el contrario, será esta repulsiva criatura.

E hizo ingresar a su oficina secreta, por el hueco de un panel corredizo, a la mismísima Lopamudra. Ella traía en sus brazos un hato de harapos que Estebanillo hubo de cambiar rápidamente por sus ropas. Cuando estuvo disfrazado de halaco, con los cabellos revueltos y el rostro ensuciado por las manos de la mendiga que recogía de todos los rincones del cuarto el polvo necesario para enroñarlo, la equidna lanzó una carcajada de complacencia que parecía el chillido de una ave de osario. Y comenzó a golpearlo y a empujarlo como si ya fuera un miembro de su ralea. Y mientras lo obligaba a salir por el mismo corredor por donde ella había llegado, todavía tuvo tiempo Jessup de burlarse de él.

—Por la compañía que lleva, que no sé si lo preservará en su larga abstinencia de su propia castidad, bien podría fingir ser Agastya desde ya, Agastya el asceta o Agastya el impotente. Pero el deseo ya lo dirá si es que usted no sucumbe antes a las mañas de la vieja erótica védica.

La risotada del obsceno jumento aún resonaba en sus oídos cuando comenzaron a bajar por unas torcidas escalinatas. Aquel pasaje, a la luz de un candilejo que la mendiga había encendido de paso, parecía no conducir a otra parte que a un nido de arañas. El laberinto se prolongaba y diversificaba en pasadizos laterales, pero ella nunca dudaba en tomar el camino adecuado, como que al final lo condujo por una galería o catacumba que desembocaba en un viejo templo subterráneo, con frescos corroídos y restos de molduras en las paredes. Lopamudra se sentó en una de sus gradas. Jadeaba y se abanicaba con una mano como si quisiera meter algún aire en su pecho. Al golpeárselo para toser sonó como una vacía alforja de cuero. Había allí un silencio terrible, silencio de sofocación y angustia.

—Éste es un templo etrusco que los cristianos usaban para anatematizar y torturar a sus primeros herejes. Arriba de este cuerpo está la Capilla Sixtina.

La voz de Lopamudra, que se había vuelto repentinamente ronca, desgarraba el vacío de esa cripta como la rajadura de una tela roída y seca. Pero su propia vivacidad al hablar la animaba con un vigor repentino.

—Yo fui la hija menor del príncipe Corrado Ferrara, luético y perdulario poetastro erudito del Palacio de Letrán que vino finalmente a morir asilado en el convento de la Parugia. Por mi rostro de labios partidos y ojos de pescado fui destinada desde niña a la clausura. Allí aprendí las disciplinas de la contemplación; practiqué la flagelación y todas las abominaciones de la histeria. Inventé demonios que yo misma distinguía por sus nombres, Corcopio, Nefelio, Fernuncio, Furso o Adameco. Uno tenía orejas de lebrel, otro un racimo de flácidas vergas, otro cuatro patas de cabra además de sus brazos; el más infantil sacaba una lengua de víbora. Sus caras eran escamadas como las de los lagartos. Las monjitas los tenían tan en cuenta que los perseguían en medio de sus risas. Estudié mucho luego y leí todos los bestiarios de la Iglesia. Fui consultada por prelados y arcedianos sobre demonología y métodos de exorcismos. Por último, vieja ya, logré escapar de mis mazmorras por gracia del cardenal Menotti que me llevó a servir en su infernáculo.

Como yo estaba absorto en su confesión me arrojó

contra el rostro un puñado de polvo recogido del suelo para despabilarme. Tosí y me restregué los ojos refunfuñando por su acción. Ella se rió y saltó para que la siguiera una vez más.

—Saldremos por un corredor que da a los mingitorios del viejo coliseo.

Al salir era ya la siesta y un hambre de lobo mordía mis entrañas. El solo contacto con el aire me produjo náusea. A poco andar me sentí mareado y tuve que apoyarme sobre el frágil armazón de esa harpía insepulta que me arañó el rostro con sus dedos de iguana. Debo aclarar que el hambre opera como una droga y acrecienta hasta la irrisión la facultad ilusoria de la mente. Roma me parecía una ciudad levantada sobre una pústula. Sus calles, llenas de vericuetos, emanaban un rancio olor a descomposición y sus ámbitos herían el sentido erizando los nervios con sus agudos élitros. Parecía que todo iba a acabar en una devoración de insectos pestíferos. La propia gente, al moverse, me daba la impresión de no ocultar ya su terror y si nos miraba con asco, ese mismo asco alentaba aún más mi agresividad y desenfado. La rareza de sentirme de pronto un segregado o, mejor dicho, un haraposo, me llenaba de una hostil alegría a la que contribuía mi propia hambre como una diferencia de rango. Yo mismo imité con mi boca un pedorreo y seguimos andando hasta que mi golfa se arrumbó en el pequeño pórtico de una iglesia y se durmió.

Nos despertó el olor a piso mojado de una lluvia que caía mansamente, rompiendo en los pequeños charcos el brillo instantáneo de los faroles de la noche. ¿Tan pesado había sido el sueño de mi fatiga que no advertí el curso de las horas o el frío que llegaba con ese temporal? ¿O estaba enfermo? Quise levantarme, pero la mano de Lopamudra me sujetaba, me retenía a su lado con sus ojos desorbitados y llenos de espanto. Tiritaba y no podía hablar. Únicamente con su otra mano me indicaba el camino. La alcé. No pesaba más que un fantasma. Al vacilar en mis pasos, sin saber hacia dónde andar, me urgió tironeándome de una oreja y señalando el derrotero con gestos apremiantes. Nos desviamos hacia el fondo de un suburbio. Con mi carga admirable entré, exhausto ya, en una callejuela ciega. Al fondo brillaba una fuentecilla mural de lustrosas cerámicas. Allí Lopamudra se encrespó y me hizo volver sobre mis pasos, pataleando y chillando como una alimaña. Rodeamos el edificio. Y entonces me di cuenta, al descubrir en la vereda de enfrente una estructura con aspecto de cárcel, de que llegábamos al Templete de los Letíficos, viejo refugio o asilo de mendigos que administraban las hermanas de Josafat. Todo el mundo había oído hablar de ese antro de caridad, al que muchas personalidades venían en penitencia a servir en los días de Cuaresma. Bastaba llamar a su gran puerta y sin mediar palabras se abría un pequeño portillo entre sus cuarterones para dejar entrar por igual a cualquier desdichado o menesteroso.

Las tarimas con sus durmientes estaban colocadas en hileras y solamente una luz de antorcha iluminaba aquel recinto lóbrego. La fetidez del ambiente me golpeó el rostro como una piel caliente. Pero Lopamudra me exigió caminar hasta su trastienda. Próximo a sus letrinas el olor se volvía aún más nauseabundo. Entonces se descolgó de mi cuello. Tomándome de una de las mangas de mis harapos me llevó hacia el rincón de una galería donde había, empotrada en un hueco, una verja levadiza. Me obligó a levantarla haciendo yo un gran esfuerzo. Aquella boca se hundía en una oscuridad impenetrable pese a lo cual la mendiga se obstinó en avanzar. Yo la seguía manoteando mis propios fantasmas hasta que me topé con el rázago de sus andrajos. Estábamos frente a una puerta a la que la mendiga pugnaba por abrir. Al final cedió hacia un costado como si se deslizara sobre ruedas. El pasillo que vi entonces me deslumbró. Era de una transparencia de madre perla o nácar que para mantenerse inundado de claridad no necesitaba más luz que la que venía de su extremo opuesto. Esta luz caía a su interior por gradas que llevaban a una glorieta de blanquísimos mosaicos, con sus balaustradas y finas columnas que sostenían pérgolas adornadas de rosas. Lámparas de alabastro alumbraban con intensidad la soledad del lugar, el cual se abría y prolongaba en dos esbeltas galerías, con sillares arábigos a sus costados. Bajo la noche, los perfiles de sus arcadas relucían destacando sus adornos en un esplendor de increíble belleza. Pero al entrar a un amplio vestíbulo interno me sorprendió la presencia de mujeres que se movían o se detenían allí para mirarnos, algunas de ellas totalmente calvas, otras con mechones de pelo que colgaban de sus raleadas cabezas. Una de ellas nos sonreía o parecía sonreírnos desde el hueco de su boca descarnada; otra, con la nariz comida, mostraba el vacío de sus fosas.

La mendiga me arrastró hacia una habitación pequeña que tenía el aspecto de un locutorio y desde allí, casi tironeándome, me hizo pasar a un salón de altos muros celestes, con un enorme espejo en el centro y decorado en sus molduras por vírgulas doradas; volutas y hojas de acanto apoyaban en los rincones las cornisas del techo. Al fondo de la habitación, junto a una mesa de ónice y maderas labradas, estaba sentada la abadesa de ese secreto e inesperado monasterio de delicias. Sus hábitos caían tan dulcemente límpidos sobre su cuerpo que parecía una figura de mármol. Su cara sin embargo mostraba una rojez peligrosa, como la de un tomate.

Además tenía la voz terrosa del leproso. Pero impresionaba por su serenidad y humildad al hablar.

Viendo mi rostro (sin duda cadavérico) nos habló con regalada piedad.

—Si estáis hambrientos os colmaré con las habilidades de nuestras recipiendarias. Seguidme.

Y nos llevó a un comedor íntimo que más bien parecía un triclinio. Tendido pues en un diván cuya cabecera daba a una mesa, me dispuse (por encima de todos mis ascos) a celebrar aquel festín. Al lado mío asomaba una especie de bacinilla que yo imaginé propicia a las urgencias del vómito. Al reparar en mi curiosidad la abadesa sonrió con indulgente cortesía.

6

Estebanillo sintió que había ganado la confianza de la dama.

—Llamadme *matre* —dijo cumplidamente en un comienzo—. Aunque mi nombre ritual es aquí Lilit, en honor a la primera mujer que fornicó con Adán aún antes de que éste lo hiciera con Eva, yo prefiero que me tildéis con el grado de mi propia jerarquía materna. Debo deciros que este sacro nombre Lilit procede semánticamente de una fuente judía, hoy desgraciadamente muy difundida en Occidente por la referencia ocasional y a su favor que de ella ha hecho Jung, en uno de sus libros. Son las imprudencias de la erudición. Pues bien, Lilit, como dije, que era una mujer demoniaca, se anticipó a Eva en este usufructo del macho. Luego de tal consumación desapareció. O para decirlo con las propias palabras de Jung: "Merced al poder mágico del nombre de Dios, Lilit se elevó por los aires y se escondió en el mar. Mas Adán, con la ayuda de tres ángeles, la obligó a volver. Lilit se convirtió en una *furia*, en una lamia que amenazaba a las embarazadas y raptaba a los niños recién nacidos." Nosotras, por reglas que nos impuso nuestro fundador, un caballero mendicante del siglo XII, Domenico Ascario de Tesalia, conservamos tales apetencias de devoración. Pero nuestros corderillos pascuales —cuyo redil ya habéis visto al entrar—, hoy no son más que pobres almas descarriadas, un rebaño de fatigadas criaturas que ya no maman sino el veneno de sus vidas.

Mientras así hablaba se quitó con liberalidad la toca que ornamentaba su cabeza y quedó al descubierto en su mollera una rugosa carúncula que le bajaba hasta la nuca. Con mucha placidez siguió hablando:

—Antiguamente llamaban a nuestra congregación la abadía de las Panidas o de las Lupercalias por la alegría que evidenciaban nuestros coros nocturnos, pero luego de la Contrarreforma, que nos obligó a volver aún más herméticos nuestros ritos, adoptamos el nombre público de Convento de las Hermanas de Josafat. Desde entonces, a pesar de las guerras civiles, los saqueos, las revoluciones y los cambios de nuestro mundo actual, podemos enorgullecernos de haber mantenido intactas al presente las arcaicas tradiciones de la antropofagia, placer de los dioses ctónicos, de las divinidades heroicas y de todas las místicas apocatastáticas. Somos, en fin, las dragonas, las terribles madres devoradoras, bocas de las ménades que despedazaron a Orfeo, serpientes o ballenas del regazo y el abandono onírico. Comprenderéis entonces que uno de nuestros cultos se refiera a la legendaria Lamia, que sedujo a Zeuz con su sensualidad voraz y que luego fue convertida en la más feroz persecutora de los santos inocentes.

Un cortejo de mujeres que entonaban dulcísimas canciones de cuna, trajeron humeantes bofes y yo no pude contenerme en el deleite de tragarlos atropelladamente, ingurgitando bocados que pasaba casi sin masticar. En medio de tales excesos que yo cínicamente procuraba minimizar apelando a esa ley general del mundo de que después de todo el pez grande se come al pez chico, le pregunté (con esa malsana curiosidad que da el desenfreno) si algo sabía acerca del Cardenal Menotti. Sin ocultar su desconfianza, la abadesa se sumió en un inesperado silencio. Parecía ser más cauta esta vez. Me miró largamente queriendo ir al fondo de mi intención. Luego, remarcando su dureza, me espetó:

—*Pulchre, bene, recte!* Sí, conocí bien al Cardenal. Fue un santo varón que nos ilustró en el sentido de la belleza. Él hizo resplandecer de pulcritud nuestro convento mientras la lepra ganaba nuestras carnes. Restituyó sus arabescos, sus sillares, sus almocárabes, sus guirnaldas y molduras denticuladas. Restituyó los mármoles, limpió los rosetones y tréboles y bucles de nuestras gradas y zócalos. Cubrió de nuevos revestimientos el entrepaño de los salones y las galerías. Defendió entre nosotras, más allá de la corrupción y la decadencia, la armonía de una visión celestial. ¿En realidad, qué queréis saber de él? Recientemente ha sido asesinado. ¿Qué queréis provocar con tales preguntas?

Lopamudra se había encogido de terror.

—Busco a sus occitragos —le respondí con pleno dominio de mis flaquezas. Y con un dedo le señalé la marca de su puñal en mi entrecejo.

—Hijo mío —se lamentó ahora con tono quejumbroso—, lo que intentáis conocer es el más grande enigma de la especie humana. Fijaos, reparad. Tratáis de llegar a lo más prohibido, a conocer las manifestaciones de un alma desconocida. Aquellos que fueron iniciados en tales dominios ocultan detrás de apariencias normales los verdaderos signos de su desviación. Si es que nosotros estamos, como piensan ellos, muertos en una civilización muerta, ellos moran confundidos en nuestra civilización, a la que finalmente destruirán. Apenas los reconoceréis. No estamos preparados para su sagrado terror.

De un copón bebí un líquido ácido que instantáneamente dispersó mi atención. Escuchaba simplemente hablar, hablar.

Y no sintió que se dormía.

Freud se ha referido muchas veces, oía Estebanillo en su sueño, a esta guerra intestina que acontece en el ello, en que la compulsión de repetición del placer es reducida a la destructividad (por la agresión dual, sádico-masoquista del fondo instintivo), al punto de que toda pulsión de la muerte se convierte en castigo interior. Y, oyendo, se preguntaba él mismo: "¿Es pues la energía vital del tiempo el Eros que hay que destruir en cada uno?" Y volvía a reiterarse la cita: "Si es verdad que una vez, en alguna época inmemorial, la vida surgió en forma que no podemos imaginar de la materia inorgánica, hubo también, según nuestra hipótesis, creación de una pulsión que tiende a suprimir la vida y restablecer el estado inorgánico; reconociendo en esta pulsión la autodestrucción de que habla nuestra teoría, podemos considerarla como expresión de una pulsión de muerte que se manifiesta sin excepción en todos los procesos vitales." ¿Qué otra cosa debía esperar para seguir durmiendo en su roca? ¿O es que estaba comiéndose él mismo el amnios sanguinolento para nacer otra vez? Despertó como de costumbre dando un salto en la cama. ¡Oh, su cama! ¿Por qué no decir más bien el blando plumón, puesto que ahora despertaba en aquel gran lecho, con espaldares esterillados y suntuoso baldaquino sobre su cabeza? Sólo recordaba de las distancias de sus sueños el final de aquel himno litúrgico del *Rig*

Veda que Fernalio le había recitado últimamente:

Si tu espíritu se ha ido a lo lejos,
hacia el pasado, hacia el futuro,
lo hacemos regresar,
para que aquí habite y viva.

Porque era como si hubiera estado. . . ¿En el cielo? ¿Y quién entonces lo había convocado y traído y hecho regresar de su reino de los muertos? Miró la mendiga que respiraba a su lado, con su boca de liebre, a la que tal vez había poseído. Ella era, pues, el camino purgativo de su desexualización, su ruta hacia el cobijo final de la roca.

Y no sin jactancia por su propio cuerpo purificado pensó que los crisoles de su resurrección estaban, como en los orígenes del tiempo vital, animados de claridad como si el día fuese, en verdad, una fiesta. Tal era la irradiación que entraba por la ventana. Desde afuera venía un rumor de voces apagadas que proyectaban la idea de un follaje ronco. Son rezos, dedujo. Y, efectivamente, no bien se levantó vio que un grupo de mujeres, sentadas bajo los arcos de una galería, recitaban letanías. Movían rítmicamente sus cabezas agitando los blancos mantos que ocultaban sus rostros. En el centro de ellas bailoteaba un enano de gran cabeza pelirroja. Entonces se dio cuenta de que lo hostigaban y reían. No quiso ver más. Con asco despertó a su inmunda hécate que al erguirse sólo atinó a rascarse el pelo mientras bostezaba. La víspera había sido de frustración y tenía la sensación de que una prisa oscura lo corroía. Se oían ya los gemidos del arrapiezo.

Salieron por una vieja cancel de mamparas vencidas que abrumaban con la imagen de un encierro hostil. El edificio, desde los veredones estrechos de sus calles, parecía el cuerpo de una catedral tronchada. Arriba el cielo aguardaba en vano sus torres agudas que ya nadie levantaría de sus encadenadas naves. Una lóbrega pesadilla quedaba allí, en su piedra humillada, como un enorme lisiado todavía viviente.

Merodear como mendigo es ver realmente el mundo, se dijo Estebanillo. Y extrañó a Fernalio que unía a su vocación por el crimen una sabiduría de solitario. Un verdadero trampista de Occidente, un alter ego ideal en la pugnacidad de lo real. Y entonces resolvió buscarlo contraviniendo a lo dispuesto por Zappo. Fernalio se resistió en principio, pero al final predominó su espíritu de petardista.

7

A juicio de Fernalio, nuestra busca debía orientarse a través de la maraña de uno de esos sindicatos o sociedades de *compadres,* de tipo convivial o de barriada, que aparentemente se reúnen para cumplimentar oficios de danzas y paradas militares. Conocía una de esas logias que ahora se hacía pasar por un comité neofascista. Sus ceremonias de iniciación, rigurosamente secretas, se hacían mediante el uso de máscaras de las que colgaban hebras fibrosas que bajaban como arambeles hasta cubrir totalmente el cuerpo de sus fratres. Su rito fue instituido por un chamán yoruba de Nigeria, que estuvo al servicio de un diplomático sodomita. Un buen día desapareció su esclavo predilecto y sobrevinieron al poco tiempo crímenes por medio de dardillos envenenados, lanzados por cerbatanas desde rincones, ventanas o automóviles difíciles de localizar. Los crímenes cesaron de repente, quizá por tratarse de una simple demostración de fuerza. Es de pensar que actualmente sus oficiantes estén interesados en planes de un terrorismo más plausible que la mera bandería política.

Los había visto actuar con el propósito de infundirse poderes vesánicos que según ellos provienen del propio odio a los muertos. Lo curioso es que sus ceremonias se basan en la pura improvisación. No son conscientes de lo que persiguen realmente. Lo único cierto es que, ansiosos de novedades, bajan a sus sótanos y sobre un esquema mínimo reproducen las alternativas de una nueva iniciación. A veces vuelcan en pequeños jarros o vasijas su propia sangre y se los intercambian bebiendo de ellos. Hasta aquí el objeto es claro. Quieren sellar así sus parentescos. Otras veces se lastiman mínimamente entre ellos y se chupan las heridas. Con estos procedimientos que varían incesantemente, acaban sintiéndose compadres, padrinos, ahijados o copadrinos. Es una exigencia de la familia tribual que ellos mismos quieren restablecer. Luego se calzan máscaras sobre la cabeza de modo que parezcan caras yacentes. Así avanzan y retroceden y giran con sus cuellos distorsionados en torno a un enorme caldero repleto de calaveras y huesos humanos, llorando y gimiendo por una inútil resurrección. El sentido de sus pasos es que nadie retorna de la muerte, que la vida está incomunicada en su horrible realidad y que la eternidad es sólo un hondón lleno de esqueletos entremezclados. De esta modo denuncian la falsa promesa de la vida imperecedera.

En otras de sus ceremonias matan mujeres, prostitutas que ellos mismos secuestran. Les clavan finísimas agujas en sus cuerpos con lo que impiden, de una manera perfecta, cualquier derramamiento de su sangre. Como todos se consideran parientes, esta expurgación asume, por un instante, el signo de lo incestuoso, y cuando la mujer es exaltada, en los momentos culminantes del rito, a la condición, digamos, de hermana o cuñada (puesto que el levirato o el sororato los hace cónyuges a todos, poliándricamente, en la muerte que ellos le ocasionan) esa misma muerte los libera de la idea ancestral de una madre única y los alegra como si realmente fueran hijos idumeicos.

Por otra parte, según sus representaciones litúrgicas, los estertores y las contracciones de la agonía de la víctima, les enseña cuán poderosa y bella es la vida en su raíz última. De esta acuciosidad extraen sus leyes del parentesco, lo cual los colma de un sentimiento comunitario y clánico. Es ese su estado más puro de integración cósmica que los hace sentir como los habitantes de un paraíso adámico y casto, antes de la aparición de la mujer que los degrada. Ni qué agregar que ellos identifican la mujer con la muerte. Y aquí entra en sus actos (con aguzada desesperanza) el momento de la convocación del dios probo que les restituya la inmortalidad perdida por el pecado de la carne. Lo invocan lamentándose y golpeándose entre ellos. Como la incertidumbre es necesaria para sus fines, aceptan la posibilidad de que el dios se haya apiadado de sus súplicas. Y eligen a uno cualquiera de ellos (y ése es el mayor peligro de asistir a sus sesiones) y le hacen beber una pócima emponzoñada para comprobar la inmortalidad perseguida. Al verificar lo contrario, vuelven otra vez al llanto y la desesperación y sacan a relucir sus cuchillos y como furiosos demonios descuartizan a sus víctimas y arrojan sus restos en cajas que tiran luego al mar, mientras maldicen y abominan del supuesto dios de la resurrección.

Curados al fin de sus propios excesos se despojan de sus máscaras y vestiduras y se abrazan entre ellos para retornar al local del partido y comportarse allí como ciudadanos progresistas y heroicos, dispuestos a luchar una vez más, ideológicamente, por el mejoramiento de una humanidad en la que no creen y a la que desprecian. Entretanto el yoruba que los ha incitado permanece en los sótanos, pues de acuerdo con lo que se sabe, ha decidido no salir más a la luz del día. Se considera a sí mismo un habitante de las sombras, donde dialoga con sus fantasmas imaginarios, envuelto en la locura de su propia negación a vivir y morir realmente. Su santidad estriba en esa resistencia. Se llama a sí mismo un incontaminado, un puro, ya que él es el único (así lo dice) capaz de mantenerse imperturbable en el filo de ese límite de la terribilidad. Todos los miembros de esa logia lo cuidan y lo alimentan como a un héroe de lo desconocido. —No sé si él será precisamente uno de los occitragos que ustedes buscan —agregó finalmente Fernalio, restregándose el vientre como si lo acuciara una repentina necesidad.

—Ese negro representa —dictaminó imprevistamente Lopamudra— una degradación del ancestral culto de Manú. Pero me parece que más que un Minos aspira a ser un nuevo Minotauro y por eso busca únicamente adictos castos. Creo que perderemos el tiempo con él, pues antes que nada habría que saber si es un verdadero occitrago, es decir, si quemado en su propio caldero sobrevive como una salamandra.

La sola idea nos hizo reír. Pero luego, como seres vacíos, nos encerramos en un largo silencio. Un sentimiento de derrota e impotencia conmovía nuestros ánimos. La lluvia golpeaba ahora duramente las ruinas circulares del Coliseo, al pie de cuyos muros nos guarecimos. Golpeaban como látigos los ramalazos del viento. Luego sobrevino una calma expectante. Pensé que la mente de Dios acechaba sobre aquella ciudad que era al fin de cuentas su propio telar. Yo la sentía demasiado próxima en el mismo aire helado que nos atería, duro como un cristal, o en esas gotas que aún caían pesadamente de sus hebras colgantes. Con miedo instintivo presentí que cualquier movimiento que hiciera llamaría la atención de esa invisible araña. No quería en verdad moverme pese a que mis compinches ya comenzaban a hostigarme para que me levantara.

8

El hombrecillo —ridículo sabueso— había tomado por una cortada que lo alejaba del Viadotto del Viareggio. Iba pegado a la pared y su largo sobretodo que le llegaba a los pies le daba el aspecto de un gnomo. —Es más agresivo que un escuerzo —había dicho Fernalio acezando por el ritmo que le imponía el escurridizo soplón—. Es un detective privado, un alcahuetillo de cornudos, pero su "hobby" actual —aclaraba Fernalio— es golpear a los mendigos (esto lo hemos sabido recientemente) para descubrir cuáles son reales y cuáles son meras hipóstasis o ectoplasmas de la bilocación. Dicen que su descubrimiento fue casual, que lo hizo por pura maldad. Uno de los *dobles* de Lifar le musitó una súplica y no habiendo nadie en la cuadra que pudiera verlo, en lugar de una limosna, le sacudió un bastonazo en la cabeza, lo cual bastó para que el educido se desvaneciera en el aire y su modelo real (que estaba en otro extremo de la ciudad) se despertara de su estado de hipnosis. Ya ha herido a varios de nuestros halacos y cuando esto sucede la cabeza de Lifar vibra como una televisión poseída por la más loca esticomiquia de imágenes fugadas. No hay que dejarlo escapar.

El esmirriado sujeto había cruzado en diagonal y en su fuga se internó por una callejuela bastante oscura y llena de papeles y cartones mojados y basuras que la torrentada había ido dejando a una orilla, en su prisa por llegar a los albañales que desembocan en el Tíber. Se paró de repente y miró hacia atrás, hacia nosotros. Con su ancho sombrero parecía de lejos un verdadero duendecillo. Sin duda había advertido nuestra persecución y se desesperaba por ello puesto que apuró otra vez el paso. Sin embargo, la calleja por la que dobló acababa (desgraciadamente para él) en un murallón ciego. En una de las últimas puertas de la derecha entró. Tuve entonces la impresión de que el gnomo había deseado en verdad que lo siguiéramos. Por eso avancé esta vez con cautela, aunque no quise decir nada acerca de mis aprensiones. La puerta no ofreció mucha resistencia a los empellones de Fernalio. Se abrió y en el extremo de un largo pasillo vimos que su figura se escurría con calculada intención.

—Eh, imbecille! —le gritó Fernalio lanzándose detrás de él.

Al final del pasillo sólo había una puerta lateral por la que entramos casi atropelladamente. Esta puerta bajaba por escalones estrechos a un ancho subsuelo, con pilares de sostén que impedían la vista de todos sus rincones. Desde el fondo, en lo que parecía ser la entrada de un túnel, el hombrecillo nos chistó. Cuando avanzamos hacia él esgrimió su bastón. Al instante desapareció en la boca de aquella madriguera.

Persiguiéndolo por un laberinto de galerías subterráneas que semejaban tubos de un sistema onírico, sentí que mis pasos se hacían lentos, como si en lugar de avanzar cayera o pisara en el vacío. Llegué así, inesperadamente, a la orilla de un río de brasas vivas a cuyos bordes yo crecía lo mismo que un árbol, con mi rostro de plata sacudido por el viento. Subían por mis miembros innúmeras hormigas de oro que devoraban las admirables serpientes enroscadas en sus ramas. Yo era un cazador y todo mi cuerpo se entretejía en las fibras de un ojo poderoso en cuyo centro lucía un castillo muy bien encasquetado como un sombrero en la cabeza de un reyezuelo. El personaje tenía blancas alas de murciélago y sus cabellos, heridos de relumbrones, caían igual que la lluvia. Su traje, inflado por dentro, impresionaba lo mismo que un trompo que girara sin fin, mezclando en su espiral vertiginosa todos los colores imaginables. De su corona cayó una pequeña gema de engarce, la cual rodó tintineando hasta mis pies. El camafeo llevaba grabado un minúsculo rostro que sonreía. Al recogerlo me dí cuenta que no debía buscar más dentro de mí. Despedía tal brillo como si su sustancia fuera una pura fluorescencia. Pero sus facciones, al intentar mirarlas, se irisaban tan vivamente como un estéreo de láminas micáceas que hacían sufrir la vista. Era mi propia alma, alma madreporita, fósil.

El hombrecillo echó hacia atrás la numerosa servidumbre que ya nos rodeaba por todas partes. —No hay más pecado que la geometría —dijo acurrucándose en uno de los rincones de su enorme trono—. Oh bribones, habéis sido amasados en un grumo de polvo y ya reclamáis el manejo de las esferas.

Observé que a su izquierda se había sentado una esbelta mujer cuyos miembros inferiores dejaban fluir constantemente un agua de vívidas lampreas. Tan carnívoras babas se desparramaban sobre las gradas del trono y resbalaban hacia atrás como arrastradas por un artificial declive. Sus crenchas sin embargo se erizaban como ramas secas. Miraba con turbadora penetración. Una sacerdotisa, dije. Pero era la misma Lamia que llevaba alrededor del cuello un collar de dientes de tiburón. No hubiese podido soportar su mirada sin estar muerto. Todo mi atolondramiento quería soslayar la escena como un arco iris y mi asombro más bien se parecía a un mundo de helechos primitivos trepando las rocas para abordar el cielo. La voluntad del hombre antes del hombre, el preludio de la caída antes de la caída.

No había pruebas de mi falta de libertad frente a aquella sensualidad de madréporas que era mi mente, pero me conmovía no sentirme ya hijo de las entrañas de la tierra, sino una especie de piruja, un cornúpeta macho, un solitario que de entrada le hubiese gustado escapar incólume de las sinusoides del tiempo y a la vez elevarse como un géiser sólo para agradar. Pero mi pudor estaba tan desnudo ya como las manos que avanzaban hacia mí, jauría de lebreles furiosos a punto de despedazarme. La Lamia se sonrió sólo de verme gritar. Y los sonidos que ahora absorbían mis oídos eran triángulos y círculos que tumultuosamente se agolpaban en una roca ávida de la que iba a saltar el chorro de la vida. Aún en el clamor de lo inorgánico el joven Adán tenía ya el instinto de un ciervo para la muerte. Sólo que la muerte debía encontrar todavía su camino para llegar a él. El hombre en tanto era una flor que advenía.

—¿Quién eres? —me insinuó con sus ojos.

Y mi respuesta le anticipaba ya (sin palabras) el cristal de los almendros, su jugo azucarado en la semilla de una lámpara, su varilla de súbito salto de antílope y todos los animales más próximos al divino rumor buscando saciar su sed en jaulas de imágenes y piedrecillas del sentido gramatical en los correvediles de la inauguración del mundo. No había despertares de ninguna índole, sino cangilones y cántaros y ópalos con sus párpados aún deslumbrados. Hizo el amor conmigo tirándome estrellas marinas a la cara, regalándome tigres hechos de mariposas y, solemnemente, un piano de teclado en espiral, infinito, en el espasmo de su orgasmo. Pero la razón es luctuosa. Digo, el trazo de la mortificación que acechaba. Sus habitaciones ya entramaban las armaduras de los rincones y escondites con sus puñales del crimen. Anacrónica antes del tiempo, perversa en su lujo para idear ciudades. Oh gamos míos, ¿adónde huir? Toda elección ya era inútil para el hombre. No encontrarás más que fijaciones, tu propia soledad como una cárcel, el preludio de un infierno doméstico con su grandeza inexpresiva.

—Me habláis del milenio, ratas —comencé a discursear mientras mi cuerpo tomaba forma de un montón de hojas secas—; arañas, me habláis de ojos huecos; de estadísticas, vosotras, alimañas. Políticos de culos atornillados, engendros incapaces de enaltecer los dones de la creación, no tenéis más trajes que la inmundicia de vuestras alaracas, entes odiosos de la frustración. Vuestra abominable conciencia de la historia es falsa. Oíd a Breton: *"en el tiempo no hay derecha ni izquierda"*. Oíd cómo se construye una frase suya: "Entonces, la flor se alejó y volvió a quedar fija, por la extremidad de su aéreo tallo, que era el ojo del cazador, en el rizoma del cielo." ¿Que el hombre es sólo un agente temporal, histórico, de reacciones condicionadas, cuyo precipuo valor ha de ser su servicialidad al estado, si queréis, aún más hipócritamente, a la sociedad de su tiempo, para lo cual debe reprimir sus impulsos de ser totalmente libre? Oíd, administradores del mundo, demonios de la facticidad: "En el ello —ha dicho Freud— no hay nada que corresponda a la representación del tiempo, ni indicio alguno del recurso temporal y, cosa sobremanera sorprendente y que exige un estudio desde el punto de vista filosófico, tampoco hay modificaciones del proceso psíquico debidas a la marcha del tiempo. Los deseos que jamás han salido del ello, y las impresiones sumidas en él a causa de la represión, son virtualmente inmortales y se encuentran tal como estaban al cabo de largos años." ¿Queréis algo más todavía? Oíd a Norman O. Brown: "La historia redentora es anamnesis; recordar nuevamente lo que hemos reprimido; recapitular la filogenia; un recuerdo de anteriores encarnaciones." Es la ley del retorno, bestias. Oíd esto de Foucault que os emparentará de nuevo con la eternidad: "El origen es, pues, aquello que está en vías de volver, la repetición hacia la cual va el pensamiento, el retorno de aquello que siempre ha comenzado ya, la proximidad de una luz que ha iluminado desde siempre." ¿Cuándo tendréis una lucidez igual? ¿Cuándo os responzabilizaréis de la eternidad que hay en cada hombre? Dais asco, en verdad, mercaderes de la mediocridad y la persecución, sin ciencia, sin conocimientos filosóficos adecuados, sin ninguna sabiduría acerca del hombre, rufianes de la improvisación, provocadores de la diaria mendacidad que aplasta y anonada. Por todo ello, frente al horrible mundo que conducís, con sus cloacas de noticias, yo, el nuevo visionario, vuestro cazador, me declaro el primer quiliasta de este tiempo, si es que no los hay ya latentes en todas partes.

Estebanillo había comenzado a entrar en su deslumbramiento cuando Fernalio y Lopamudra tenían acorralado en un rincón al moharracho que amenazaba todavía con su bastón. Los había conducido a una trampa que consistía en hacerlos caer en un hueco, moviendo una palanca para que el suelo los tragara. Cayeron al vacío, dentro de un armazón de rejas, en el piso inferior. La mendiga se había agarrado en el aire de la ropa de Fernalio, en un manotazo instintivo por asirse de algún sostén. Fernalio la arrastró al tiempo que él mismo hacía una torsión de acróbata con el cuerpo, lo que le permitió recuperar el equilibrio a mitad de su caída. El golpe fue así atenuado y Lopamudra rodó a un costado, enredada en sus trapos, lo mismo que un hato de desechos livianos. Tan sólo Estebanillo cayó parado, duramente, sintiendo que la cabeza le estallaba por dentro en un espectáculo de fuegos artificiales que, por un instante, lo distrajo de su propio aturdimiento. Eran grandes círculos de chispas que giraban alegremente. Al propio tiempo el hombrecillo descendía a aquel subsuelo por una escalera pegada al muro. Venía sonriéndose por su fácil triunfo. Todos yacían en el piso y se revolcaban quejosos. Esperó con paciencia y curiosidad a que se recompusieran.

Fernalio, al levantarse, sacudió con sus manos las rejas en un vano intento de actorzuelo de cine por librarse de su encierro. Pero no había escapatoria. La mendiga, entretanto, con penoso esfuerzo, se enderezó y al incorporarse se aferró a lo que resultó ser la puerta de esa jaula, que se abrió silenciosa y espontáneamente. Todos quedaron perplejos de incredulidad por ese descuido de quien pretendía encerrarlos en tan infantil prisión. El hombrecillo gimió desconsolado y quiso huir. Fernalio corrió hacia él, seguido por la propia Lopamudra que graznaba de gusto. El primer bastonazo fue eludido mediante una ágil pirueta, a la que siguió una zancadilla que lo hizo volar por el aire. Al caer semiconsciente e indefenso, Lopamudra se sentó sobre él.

—Este gaznápiro ha puesto en peligro el uso más glorioso de la ciencia chamánica en lo que va de nuestro milenio —dijo Fernalio respirando y sacudiéndose con insensata urbanidad los harapos de su propio disfraz. Fue cuando tomado de las rejas y sin salir de la prisión, habló Estebanillo, extraviado:

—Me habláis del milenio, ratas.

Todos lo oyeron azorados, Fernalio con su revólver en la mano, a punto de liquidar al hombrecillo, Lopamudra sentada sobre sus espaldas, y el hombrecillo mismo que ajeno de pronto a su incómoda posición levantó la cabeza para escuchar lo que decía.

—Algo lo ha liberado —dijo suspicazmente desde el suelo.

Y la visión comenzó a crecer. Lo arrastraban en el momento en que sintió que se despertaba. Estebanillo peroraba todavía. Se resistía y gritaba con un vozarrón que aún seguía resonando en los corredores de su mente. No hubiese querido abandonarlo en ese trance. Pero ya era tarde. Contigua a su cuarto de hotel, una radio sonaba sin parar.

9

Oh, la realidad, la sucia realidad. Bettina lo sacudía colmándolo de insultos. Delante suyo estaba Zappo, sonriéndose. A su lado Lifar, sombrío. Por lo visto su jardín de las delicias proseguía.

—Eres demasiado distraído —se burló Zappo—. Es que duermes encogido como un feto, temiendo nacer. Padeces de fijaciones y la segunda fase de tu represión es más activa. No hay sino distorsión en tu imagen del mundo. De ahí que tus impulsos sean verdaderas descargas de tu inconsciente. Vístete. Es necesario que dialogues con Efrón.

Efrón era el hombrecillo espión y escurridizo que él mismo había ayudado (así lo creía) a apresar. Tenía el aspecto de una criatura excesivamente desconfiada y miraba de reojo y a hurtadillas a cada lado de la habitación, como si de algún rincón pudiera surgir una mano y apuñalearlo de repente. Pero esos tiquismiquis no eran más que tretas de un profesional del disimulo que se servía de esas mañas sólo para descolocar o distraer a sus propios interlocutores. Con ello sacaba sus ventajas, tanto en acechanzas como en elusiones, a fuerza de provocar situaciones de extremo nerviosismo.

—Es un agente nuestro, altamente especializado en detectar encantamientos, aparentes distracciones o estados de enajenación o de superposición de la personalidad. Él nos ha puesto muchas veces sobre la pista de traidores sutiles o inconscientes. Fernalio ignoraba su existencia; también ignoraba que lo estábamos probando a él mismo, en su capacidad de error y credibilidad, cuando ustedes cayeron en su trampa. A Fernalio le hablamos de este arruinador de falsos mendigos sólo para lanzarlo en su busca y convertirlo en un traidor, puesto que Efrón lo iba a tentar con otros secretos de espionaje. Pero su descuido de la puerta fue providencial. Así hemos conocido tu otro yo reprimido. Fernalio —y suspiró Zappo al decirlo— ha vuelto a su papel de Agastya, ya que tanto le interesaba últimamente el *Rig Veda*. Será por ahora únicamente el cónyuge de Lopamudra. Pero quiero que respondas a algunas de las preguntas de Efrón.

Efrón, antes de hablar, miró con repentino recelo, con el rabillo del ojo, hacia uno de los rincones de la sala. Yo lo seguí impulsivamente. Y allí vi, en el suelo, una pequeña piedra que relumbraba con un raro destello. Me levanté con el corazón en la boca. ¿De dónde había salido? Era la misma gema que yo había recogido en mi trance, la gema que tenía tallado (al menos así lo supuse) el rostro de mi alma. De pronto recordé mi visión del reyezuelo y la Lamia. ¿Pero cómo explicar lo que no era más que un extravío, un fugaz estado de alienación, una alucinación producida sin duda por mi propio cimbrón al caer?

—¿Puede describirnos el rostro de la Lamia de su. . . alucinación?

Estebanillo se sumió en un inmenso desconcierto.

—No tenía rostro —casi se apresuró a decir (si es que cada rostro representa la disposición del ser a diferenciarse dentro de la general tendencia de lo vivo a tomar un rostro para nacer, vivir, morir). Su respuesta le parecía una paradoja. Y la excluyó. Quedaban, no obstante, en lo profundo, los residuos de una vibración, una suerte de regocijo puramente narcisista. ¿O era el usufructo de otra memoria?

I'm looking for the face I had
Before the world was made.

Intentar hablar en tal tensión era para él un verdadero sacrificio erótico, como impedir que todas las cosas se reunieran en su punto de creación. Sin embargo, lo perturbador del recuerdo lo constituía justamente la sonrisa de la Lamia que él nunca podría describir porque esa sonrisa había borrado, de hecho, los demás rasgos. ¿Cómo decir que era una sonrisa sin rostro? Con angustia miró la cara de Efrón que aún aguardaba su respuesta mientras lo miraba con sus ojillos y napia de prosimio, boca de reptil sin labios, frente achatada de chacal y orejas apantalladas.

Luminosamente lo parodió Estebanillo.

—Tenía, oh, sí, orejas apantalladas, frente achatada de chacal, boca de reptil sin labios y ojillos y napia de prosimio.

—Pero ésa es la cara de Jessup —protestó con impaciencia Zappo.

—Para mí es la de Fernalio —afirmó Lifar, seguro.

—Creo más bien que describe la suya propia —convino Efrón dirigiéndose a Zappo.

—¿Cómo, la mía?

—No, la de él mismo.

Y por primera vez los tres juntaron sus cabezas para

mirarlo con atención. Efectivamente, para esa gente, Estebanillo tenía tales rasgos.

—Reproduce la imagen mnémica típica de la autosatisfacción —adujo Zappo en voz baja.

—Sí —corroboró Lifar—, su mecanismo es de base licoital; reproduce la percepción originaria del placer ligada con la satisfacción de la necesidad.

—¿Pero, qué hay detrás? —musitó tímidamente Efrón por decir algo.

Todos miraron a un lado y hacia atrás de Estebanillo, buscando la cosa o el objeto que hacía a tal observación.

—No —corrigióse Efrón un tanto avergonzado—, quiero decir qué hay detrás de ese tópico fisiognómico que él describe.

—Ah, usted se refiere a su psique, ¿no?

—Bueno, sí —se allanó con prudencia Efrón, aún confundido con lo que él mismo decía.

—Todavía carecemos de una teoría tópico-económica para inducirla en su más absoluta interioridad. Sólo la conocemos por sus tensiones con el mundo interior. Incluso los sueños son *censuras* del inconsciente que nos impiden ver el fondo —disertó Lifar adelantándose a insensatas respuestas.

—Mejor será hipnotizarlo —propuso Bettina desde su rincón.

—Hay un peligro con el mastuerzo. Él ya no tiene yo. De rebote puedo hipnotizarme a mí mismo pues el hipnotismo sólo afecta al yo, y convertirme así en mi propio esclavo.

—No, me refiero a hipnotizarlo a Efrón para que él descienda al inconsciente y desde allí emerja a los trasfondos de esta pobre mente bloqueada —dijo Bettina con desprecio.

En trance llegó Efrón como un náufrago al pie de

unas montañas escarpadas. Se sentía tan apócrifo como Ulises. Arriba, en esas cumbres, vio, a contraluz de un cielo pardo, los resplandores de lo que parecía ser una ciudad o la boca ígnea de una fragua. Tardó en subir porque a sus miembros se adherían culebras de relucientes escamas que sólo buscaban sus ojos. Luchó con ellas teniendo conciencia de que sólo eran la trama de una pesadilla. Flores carnívoras abrían al pasar sus pétalos con colmillos. Enormes pájaros de plumajes de hierro que dominaban aquellas regiones, lo contemplaban trepar con sombría indiferencia. Llegó así a sus últimas crestas. Las rocas no obstante parecían cerrarle el paso. Descubrió entonces, entre dos peñascos, un sendero de fácil acceso y por él subió. El tramo conducía a una explanada que terminaba abruptamente, cortada a pique como un muro sobre el flanco de un abismo. Desde esa plataforma contempló la ciudad del sueño.

Cuando bajó a sus vericuetos o callejones un tropel de figuras corría en tumulto. Otras se asomaban a sus ventanas. Él mismo las siguió con curiosidad puesto que nadie había tomado en cuenta su presencia. Las gentes se movían y gesticulaban y hablaban a toda prisa sin que él llegara a comprender lo que decían. Todos parecían poseídos sin embargo de una grotesca irracionalidad, como si no hubiese en ellos otro sentido de vida que el moverse de un lugar a otro. Detuvo una de esas sombras y el hombre lo miró. Pero en lugar de ojos tenía dos cavidades en la cara en las que bullían enjambres de abejas. Idéntico pavor le produjo la espalda de una mujer, ahuecada como un nicho. Y él recordó, quizá para darse ánimo, que el sueño es también ironía. Llegó entretanto a una plazoleta en cuyo centro se elevaba un tinglado. Allí flagelaban a un viejo que reía sin parar. Pero lo que más llamó su atención fue un espléndido palacio, totalmente iluminado por dentro, el cual tenía por entrada un pórtico de piedras encendidas como brasas. Sintió que el horror había comenzado ya, no en la acción de una encrucijada, sino en el esplendor de aquella belleza que él mismo sabía despreciable. La tortuosa deformación de lo que carece de principio y de fin, la pura espontaneidad de una irrealidad condenada. ¿Eso era el sueño, eso era soñar?

La multitud se arrodilló y uno de aquellos espectros lo señaló por fin con el dedo. Ya no sabía donde esconderse hasta que lo arrojaron a los pies de una horrible ramera con tiara que le gritó:

—¡Elige, elige!

Y sin sentirse sustentado por ningún sentimiento de culpa accedió a subir las gradas y sentarse en un vasto trono de cristal negro y transparente, con joyas incrustadas y pequeñas floraciones de hidras que se movían en su interior, despidiendo luces. En su parte superior, entre dos columnas en espira, sobresalía un gran frontón quebrado que le daba a aquel sitial el aspecto de un panteón. Entonces se oyó decir a sí mismo: —No hay más pecado que la geometría. Oh bribones... —seguido de un flujo de palabras que no alcanzó a retener.

Se repantigaba perezoso y orondo como un reyezuelo de naipe en el momento en que vio avanzar hacia él un esbelto muchacho con el rostro escamado como el de una iguana. Pero eso era sólo una deformación de la perspectiva. Más bien parecía, a todas vistas, una réplica de Adán, desnudo y fálico. Al descubrirlo en su belleza de mártir, hizo un gesto de aprobación con la cabeza y al instante cayó de su corona una gema de vivos colores que el muchacho recogió y contempló con amor y luego tragó quebrantando las reglas de la inmortalidad. Un acto de luminiscencia erótica, hubiese dicho Zappo. Por puro pudor, pues, mandó con un golpe de sus manos retirarse al fondo a esa multitud de cortesanos que los rodeaba por todas partes. La reina Pupula que estaba sentada a su lado se levantó y echando a ambos lados, al caminar, sus grandes pies de batracio, membranosos, se arrodilló y lamió el pene del filopátor como en un acto religioso. Después los vio fornicar en una incestuosa fantasía que volvía regresivo el tiempo del placer, siempre hacia atrás, en un puro proyecto de recuperación del origen perdido, de la "felicidad perdida".

Entonces Efrón comprendió que había elegido ser la maldición de un narcisismo y que era inmortal como ese inconsciente legendario que le levantaba muros, gentes, gritos, ciudades, asechanzas, tras las fantasmagorías del sueño, burlando en cada despertar sus propias pesadillas, como un cómplice o espía de las censuras e instituciones de su yo. Había optado por la concreción de lo real, por la fatalidad de su cuerpo, por la prospección de sí mismo en un autoendiosamiento servil. ¡Efrón inmortal, Efrón narcisista, Efrón humillado por su propio devenir consciente!

Él mismo encendió la hoguera en la que el nuevo Adán se retorcía. Su perorata de reyezuelo o tiranuelo era tan discreta como piadosa: —El hombre está vacío —decía—; se ha interiorizado tanto con la materia de sus sueños que esa misma sustancia de lo indefinido lo muestra ya como un traficante de lo absurdo. ¿Dónde comienza su verdad? ¿Dónde acaba su destinación? El santo quiere volver a su origen, el héroe marcha a su fin. Mientras tanto la locura de vivir abrasa el mundo. Nosotros somos simplemente los mercaderes del poder. No podemos evitar que nuestro infierno no recoja las alabanzas de su propia perpetuación. Os regalo pues las llamas de este nuevo milenio.

Ardorosamente la víctima comenzó a hablar. Pero el sueño proseguía sin fin aun cuando Efrón se hubiese despertado. Se vio a sí mismo tirado sobre un rojo sillón. Todos se reían a su alrededor. Lo habían oído perorar y gesticular en un alboroto que se asemejaba muy bien al cacareo de un pato. Le preguntaron a continuación sobre lo que había visto.

—El mundo de su mente —dijo— es tan monstruoso como el de una ciudad divina y malvada a la vez. Sus paisajes reproducen las emboscadas del pecado. Sus escarpas, colinas y senderos sugieren siniestras tentaciones. Los asuntos domésticos muestran allí los signos del rencor. Yo, vuestro espía, de pronto fui en ese mundo la parodia de un rey; sentí incluso hastío de mí mismo, de mi propia jactancia. Oh, aquel vacío. Es que todo lo humano está allí degradado o, mejor dicho, deformado por la conciencia de una caída inmemorial. En verdad, un mundo sin esperanza.

Zappo acabó por abofetearlo.

—Roñoso traidor, hablas como si fueses tú mismo un occitrago.

10

El guerrillero abrió la ventana y un olor a hierba fresca o tierra removida que se mezclaba con la fermentación ácida de los rincones y veredones de la calle (bañados por aguas que parecían servidas) llegó a sus narices. En un rapto de su memoria tuvo la sensación de despertarse en un establo. El campo está cerca, pensó. Y mirando el cielo dedujo, al mismo tiempo, que era demasiado temprano para comenzar incluso a afeitarse, su nueva costumbre que alguna vez creyó que había abandonado para siempre. No tenía libros, sino ese cuaderno (de bitácora, para náufragos) que esperaba llenar con las anotaciones de su nueva campaña. Se movió en la habitación dominado por una imprevista inquietud. Era la forma de su impaciencia, una especie de acorde o vibración de su cuerpo, sólo que parecía arrancado por la instrumentación de mil manos anónimas que, de hecho, querían lanzarlo a la acción, aunque esa acción fuera su propia soledad. No obstante tal resonancia le resultaba benéfica siempre, porque era como el aviso de sus propias flaquezas. Lo estimulaba a la vez que lo preservaba. Luego le sobrevenía una gran calma, semejante a un estado de perfección, o de frialdad, como el que necesitaba para matar.

Se detuvo (fantasmalizado) en la mitad de la pieza.

Notó que ese deseo se le había avivado de pronto, desde su último sueño, a causa sin duda de las mismas ansias de venganza o de reivindicación que lo motivaron, puesto que allí él no era más que una víctima. Una algarabía fugaz, como la imagen de una multitud, rozó su memoria. Y volvió a sentir sus propias palabras que repercutían en esos ámbitos todavía más fuertes que la crepitación de las llamas de la hoguera en que ardía. Hubiese querido recordar lo que decía, pero era imposible reconstruir nada con esa radio del cuarto contiguo que aun a esas horas sonaba sin parar. ¡Y que había estado sonando durante toda la noche! De ahí el denuedo de sus impulsos agresivos. O asesinos más bien, como se aclaró a sí mismo.

Necesitaba paz para pensar, como ciertamente necesitaba pensar para matar. Ése era su modo apropiado de actuar, lo más consciente posible para no envilecerse, aunque ahora estaba dispuesto a aceptar el arrebato como una santa locura de los dioses. También estaba dispuesto a arriesgar todo, su clandestinidad, su prestigio. Es decir, salir, gritar, matar incluso, sólo para taponar esa cloaca. Abrió la puerta de su cuarto y se asomó al corredor, sacando primero la cabeza, en una postura concordante con sus ideales de pobre cuadrumano. O de licántropo, de tan encogido y maligno. Husmeó la soledad de ese hotel de pesadilla, el aire pesado de sus paredes acres, malolientes como piel de animal. Dos lamparillas amarillentas iluminaban el pasadizo, una verdadera tragadera de dragón, se dijo, que en caso de despertarse o de toser, todavía podía vomitar fuego de sus entrañas.

El cuartucho en que entró estaba desocupado. No encontró allí, como esperaba, ni a la horrible pareja sexual, embotada en sus humores y hedores, ni al borracho solitario, aturdido por su propia intoxicación. Cierto, no había nadie, salvo ese infernal aparato de la civilización, vibrando con sus élitros en una jarana infecta. Estaba adosado a la pared. Bastó que apagara su bulla, dando vuelta el botón, para que el silencio duplicara en su mente los sonidos de su conciencia enferma. Quedó paralizado con ese estruendo de tamboriles y platillos que aún seguía sonando en su cabeza, a ritmo frenético, como si esa batahola no fuese a acabar nunca, hasta que el delirante insecto se fue aletargando, tragado por las arenas de su autohipnosis. Entonces comenzó a oír los silbidos sofocados de su respiración, los ronquidos intermitentes que venían de otros cuartos, la aspereza vibrátil de los grillos del verano, el crujido de las maderas que envejecen y pudren. Y más aún, el ruido de minúsculas mandíbulas o de pequeños roedores, todos vigilando desde los rincones de un universo en acecho.

Oyó pasos en el corredor. Y en ese instante comprendió cuál había sido el motivo real (instintivo o sincrónico) de su huida espontánea de la habitación, tras el pretexto de apagar esa radio que con apariencia de un olvido parecía haber sido dejada así, prendida, o bien para acallar los pasos o para desmoronarlo psíquicamente, hasta que cayera vencido en su propia postración. Su mecanismo de defensa no era pues la exasperación de un duermevela obligado, sino la absoluta premonición de que vendrían a matarlo esa noche, antes del alba. —Hay un agente de la CIA que sigue tus pasos. Su misión es asesinarte —le había dicho su fraterno Leporello, mientras fingía resistirse a que abriera en cualquier frente del mundo un nuevo Vietnam, por más que en el fondo no hiciera otra cosa que alentarlo: "No hay más camino para nosotros que la burocratización. Es el destino fatal de toda revolución."

Estaba desarmado para adelantarse y enfrentar a su enemigo. Además, cualquier acometida que hiciera atraería sobre sí la atención o sospecha de la policía. Hasta ahora no había sido más que la mera rutina: "Sus papeles, señor." Porque nadie sabía quién era él, ni siquiera sus chivos emisarios que lo transportarían hasta el monte de Ariega, entre los desfiladeros y quebradas del cordón de Amambay. Sólo su enemigo. Él sí sabía, por lo visto. Y sin duda, por ello mismo, no quería rozar ni de lejos la notoriedad de su nombre. Su fin no era denunciarlo, sacarlo de su anonimia, cotizarlo en alguna cárcel o contribuir a sacralizar su mito político con una muerte violenta o traidora. Su misión era crear un enigma con el héroe legendario, sustraerlo de la realidad (como un animal caído en una ciénaga) para que no se hablara más de él. Atraparlo en la muerte anodina de un viajante.

Lo oyó pasar mientras él apenas respiraba pegado a la pared, junto a la puerta. Pero el otro se detuvo. Extrañaba quizá la señal de la radio. ¿Qué había pasado? ¿Había huido su víctima o estaba ya sobreaviso? El asesino se mantuvo en tensión; se afirmó contra el muro para oír, uno al lado del otro. Luego se retiró. Lo sintió alejarse con cautela, tras una decisión que reflejaba una perfecta disciplina. Ningún riesgo, ninguna muestra de intrepidez.

Tan cerca había estado de él que percibió el rumor de su cuerpo, una suerte de borbollón que hacía con la garganta al carraspear, un modo de tragar en silencio, parecido al de una criatura angustiada, junto a una respiración entrecortada, con leves sorbetones de narices. Y, además, el crujido de sus dedos, al cerrar los puños. Lo asoció rápidamente al esplendor de un Fénix en llamas.

...un oiseau de houile perché
sur la plus haute branche du feu.

Lo había invadido otra vez esa conciencia de extrema belleza que crea la inminencia de la muerte (o la lucha) y que convierte al enemigo en un objeto de proyección que hay que destruir para amarlo. Sin embargo, lo más intenso de ese mundo de terror y de violencia en que estaba embarcado, era que no hubiera culpa de parte de ninguno de los bandos, sino el solo empeño de buscarse y acechar y no darse respiro, y en el que la muerte era lo de menos; lo importante era lograr la admiración del otro, en la elusión, el escondrijo, la desorientación y, finalmente, la trampa. ¿Es que estaba realmente enviciado por el arrullo o noxa de esa crueldad blanca? ¿Y su magia interior, su amor por los oprimidos, su celo por la justicia y la reivindicación de los pueblos, no operaba ya más? ¿No eran motivos válidos por sí mismos para justificar su acción? No, arguyó despiadadamente, lo único real es el vacío, la incurable soledad de uno mismo, el odio a uno mismo. Un abismo que había que llenar de muertos para volver a recuperar la capacidad del amor, la fuerza de la humildad, el soportar simplemente al otro. Ése era el motivo real de su lucha enmascarada, lo que ocultaban sus ojos cegajosos y su sonrisa de triunfo cuando saludaba a la multitud con su brazo en alto, desde los balcones de la Casa de Gobierno de La Habana, mostrando su rostro límpido de héroe puro, voluntariamente apátrida.

Felizmente todo aquello había quedado atrás. Ahora, siendo nadie, se sentía más en lo suyo. Y como un oficiante órfico que transita por los aledaños de un sueño sobrenatural, sabía que se encontraba en camino de su catarsis, y que el lugar al que secretamente marchaba no era otro que su *omphalos*, su *témenos*, el centro de su mandala. Sí, aquella multitud ardía y las llamas de su hoguera golpeteaban el aire con cólera, embriagadas en sus chisporroteos. No había más que ese fuego y las imágenes de los hombres detrás. Ahora danzaban a su alrededor, acercando sus antorchas que lucían como rubíes. Todo volvía a arder al simple contacto de esas teas con las ramas y palos secos, ávidos de ser combustión del espíritu. En verdad, un tormento infinito.

Por eso no entendía que se lo despertara. No es que quisiera eludir sus responsabilidades, pero era un acto de pura irracionalidad privarlo de ese sueño, tan lleno por otra parte de galerías y corredores (iluminados o sombríos) por donde podía internarse uno en la certeza de hallar allí una aventura incomparable. Todavía recordaba las posturas ridículas del reyezuelo de naipe, tirado sobre su trono de mármol negro, translúcido. Y la lascivia de la reina. Pero los emisarios lo sacudían insensatamente, hasta que abrió los ojos en medio de una habitación llena de sol. Le dijeron que dormía como si estuviera muerto. Ni siquiera se lo oía respirar.

Gesticulaban al decírselo y él los miró sin reconocerlos. Los dos acólitos se reían y eran idénticos hasta en su estupidez. Uno estaba medio trepado sobre su pecho y el otro le abría y le cerraba las piernas como si manejara una tijera de mano. ¿Qué se proponían? ¿Quiénes eran esos dobles? ¿Los paredros de Baal, los dióscuros, los dadóforos? Al soltarlo se amagaron entre ellos, mezclando la amenaza con la burla, a través de gestos paródicos y carantoñas, mientras esquivaban con gran agilidad y risa los golpes. Era una pantomima demencial, pero no carecía de ritmo; se asemejaba más bien a una danza que imitaba con suspicacia la violencia de una humanidad inconsciente. Al poco rato se serenaron y lo saludaron como dos bailarines al final de un ballet.

Eran sus agentes de enlace (que junto con él hacían la tríada del pecado, la caída y el absurdo). Pensó abusivamente, aludiendo de pronto al mundo de Hieronymus Bosch, que ése era su momento de tránsito por el "Jardín del Edén". Pues qué otra visión podía depararle esa ciudad de Asunción, con sus calles atestadas de mujeres tiradas en las veredas y las plazas, exhibiendo en sus cestillos frutas o manjares o baratijas de la miseria. De ahí que los dos truhanes que lo acompañaban le parecieron de pronto, según sus piruetas y saltos de volatineros, los ejemplos vivos de una degradación adámica: la enajenación de la inocencia en la perversidad de un mundo bufonesco y paradisiaco a la vez.

Entraron por un largo corralón que no sabía si llevaba a un establo o a una herrería. Allí, el olor de los caballos retenía todavía un áureo tiempo antiguo de panales y sonidos de yunques. La mañana misma parecía concentrarse en aquella quietud como una campana de cristal resonando a cada golpe de martillo. Misteriosa fue, sin embargo, la actitud que a poco entrar asumieron sus disparatados guías. A medida que avanzaban empezaron a encorvarse y a moverse con el sigilo de los ladrones. Parecían oler una emboscada. Uno de ellos lo tomó nerviosamente del brazo. Lo echó hacia atrás, contra el muro, y lo retuvo así, con su mano, mientras asomaba cuidadosamente la cabeza para espiar los fondos de la casa. El otro permaneció a la espectativa, corriéndose al centro del corralón. De pronto saltó hacia adelante, en actitud de enfrentarse con alguien. Y allí quedó paralizado, con la boca abierta, tomándose el vientre con las manos, como si lo hubiesen baleado con un arma silenciosa. En ese estado tambaleante avanzó. Su otro hermano, viéndolo herido, gritó y corrió hacia él, saliendo de su escondite a cuerpo descubierto. Gemía con ridículo dolor. Y lo abrazó. Y ambos se abrazaron y empezaron otra vez a saltar, a esquivarse, a mofarse, en tanto que el pobre Estebanillo no sabía qué hacer en medio de tales desatinos. Comprendió que se reían de él.

Para colmo, hacia aquel infausto grupo se adelantó un personaje aún más disparatado, el Patriarca, morador precisamente de ese andurrial. Amén de una larga barba blanca y túnica talar, llevaba báculo. Su altísima figura parecía reclamar por sí misma el cielo para los mortales. Sin embargo, aquella estampa bíblica se aproximaba más a lo diabólico que a lo santo, quizá debido, entre otras cosas, a la frondosidad de sus cejas que de tan negras caían sobre las cuencas de sus ojos como dos nubarrones de espanto. Estebanillo llegó a pensar que todo aquello constituía una broma. Pero era evidente que por iguales caminos de fingimientos había llegado (por fin) a lo que parecía ser su Tártaro definitivo.

11

El Patriarca —que así lo llamaban sus devotos y adeptos— era el pontífice indiscutible de ese mundo de seres tan paupérrimos. Iluminaba sus almas, imponía nuevos ritos y costumbres y manifestaba en todos los casos una extraña piedad para con sus víctimas. Antes de matarlas les daba un plazo y les hacía aprender de memoria, en ese interín (con la promesa de perdonarles la vida si llegaban a saberlos bien), rezos, salmos, versículos, plegarias, oraciones o preces, de la más diversa índole, tomados de cualquier parte, de algún salterio o breviario a mano, o bien, sencillamente, del Talmud, la Vulgata, la Michna, la Cábala o la Masora. Después los examinaba y tanto a los más aplicados y devotos como a los faltos de memoria los mataba lo mismo, con el consuelo de haber contribuido de algún modo al mejoramiento de sus almas en el otro mundo.

Había fundado, junto con otras sociedades, una secta de *strygas* o violadores de sepulcros, con el propósito de robar (por encargo) los cuerpos de los muertos, ya fuera para cremarlos e impedirles su resurrección en el Día del Juicio (venganza muy deseada por políticos o entre parientes), o para persuadir a ciertas viudas de que él (conservándolos en sus depósitos, como les decía) podía resucitar a sus maridos, aunque no fuese más que para permitirles (en cuartos adecuados y oscuros) cohabitar con ellas, desde ultratumba. Practicaba además otros encantamientos femeniles, como hacerles creer a las prostitutas que sin su asistencia y previas obleas cantantes y sonantes, podían ellas, en un descuido, engendrar de solapados nigromantes (pues los había muchos) hijos retrógrados y póstumos que, como verdaderos vampiros, les chuparían desde el vientre la sangre y el alma.

Recurría para alimentar su inteligencia a ciertos textos para él sagrados como *El Misterio Satánico* de Termópilo Arias. O las *Damnables Ficciones* donde se adiestró metódicamente en el manejo de la *amplificatio*, o sea, una fértil teoría gnoseológica, muy apta para la inventiva, consistente en una combinación de sueños, pensamientos y palabras hasta lograr un orden de conocimientos estrictamente propios y privados. El manejo de esta gnosis lo llevó a crear una cofradía de iniciados cuyo *corpus hermeticum* consistía en oscurecer por todos los medios cualquier proposición que pudiera resultar clara al pensamiento. Por ejemplo, una expresión tan inobjetable como "el agua calma la sed" quedaba convertida, después de infinitas deformaciones, en la siguiente frase: "ñorpaloria iriconcéfala prumpa misprática". Al comienzo el uso de este nuevo método de liberación verbal dio a sus miembros un vigor parlante tan acucioso que casi los enloqueció. Sin embargo, andando luego más serenamente por estos carriles lingüísticos, hubo garruleros —que así se los dio en llamar— que llegaron a plantear incluso verdaderos enigmas metafísicos en expresiones tan concretas como ésta: "¿Hame propuncio aripitroca?" O esta otra, todavía más tajante: "¿Burumato iñujo?"

De ahí que resultara perfectamente explicable que el Patriarca, al recibirlos en su cuadra y advertir la presencia advenediza de Estebanillo, les endilgara este mormajo abrupto:

—¿Urbri priun córcori pralepe? ¿Castramórica praca?

Los monigotes corcovearon negativamente. Estebanillo creyó que hablaba en una lengua arcaica. Pero el Patriarca prosiguió, aún en su asombro, acosándolos con ansiedad.

—¿Necrata? ¿Cachechepe espiricorpia?

No hubo respuesta. Todos se habían puesto solemnes.

—¡Oh, mi comandante —exclamó el anciano.

Entonces Estebanillo comprendió con angustia que ellos ya lo conocían contra su propia presunción de viajar de incógnito. Por eso lo palmeaban ahora tan sinceramente los mellizos. Desde un comienzo sabían que era él. Y no sólo ellos, sino todos, toda esa población de desarrapados, mendigos, prostitutas, ladrones, bajamanos, rapacillos. Todos lo esperaban. Y ahora que había llegado estaban más contentos aún, aunque no dijeran nada, ídolo de codeadores, de echacuervos y barraganas, de pelanduscas, mozcorras, bribonas o maturrangas, de enredistas, galafates, carrilanos, tercerones, mucigalleros y trápalas. —Toda nuestra grey unánime —le enumeraba el Patriarca.

—Pero, ¿y la revolución? —forcejeó el guerrillero.

Inútil. Parecía haber comenzado su holocausto en un día de fiesta. Sólo había alegría y sonrisas en esas nidadas de esclavos y pordioseros y pelagatos. ¡Oh, cómo se reiría Leporello! ¡Cómo se reiría Zappo!

—Iremos en una carreta de bueyes.

Fue lo último que oyó. Porque lo arrastraban ahora, aunque seguía firme en su alucinación. Las calles y las casas giraban vertiginosamente a su alrededor. Las veía desplazarse como imágenes o pensamientos de un mundo irrecuperable. Al final llegaron a la mansión de la condesa.

—Hemos detectado en tu mente una revolución —le decía Zappo entre agitado y eufórico—. Creo que ha llegado el momento de desenredar tu locura.

Mientras preparaban los instrumentos y cuadrantes de su viaje de retorno a lo real, para rescatarlo de su condición (¡oh!) de occitrago (un verdadero *grylle*, según diagnóstico de Zappo), Estebanillo les refería a sus compañeros de nave (de su *stultifera navis*) algunas de las rarezas de esa caterva de pillos con los que había convivido de paso, en los últimos tramos de su excursión onírica.

—Era un mundillo de gentes menesterosas. Vivían en una suerte de parodia de la bienaventuranza, la candidez mezclada a la sandez. Sus avariósicos o filósofos hablaban a veces (quizá para compensar una recóndita privación o desdicha o exclusión) en una cháchara sin sentido. No era un idioma, ni un dialecto, ni una jerigonza. Era un simple parloteo que no implicaba nada; sus giros prosódicos carecían de sintaxis, de construcción; sus palabrejas, de significados. En realidad, una imitación de sonidos para fingir que conversaban. Se prestaban (al hablar así) la más respetuosa atención y sin duda intuían algunas veces, por los gestos, lo que decía el otro. Pero respondían con igual disparidad verbosa, sin querer expresar realmente nada. Llamaban a este ejercicio falsamente liberador y atrozmente engañoso, hablar en báratro. Era, en verdad, un país de almas perdidas, resignadas a la ignorancia y a la soledad, a la impenetrabilidad de la más ruin existencia que ellos enfrentaban acrecentando la incomunicación hasta el absurdo, en el crimen, en la reyerta, en el castigo, como si todo se agotara en la pura inmediatez.

Y pensó, mientras hablaba, que tal vez su propia aventura proseguía fielmente en la visión inacabable de los sueños. Y se contentó con imaginar que el Patriarca iría ahora, sentado en uno de los travesaños de la carreta, con las piernas colgantes, hostigando con el extremo de su báculo el lomo de los bueyes. Iría sumido en su ensoñación, sin preocuparse ya por su acompañante que recostado o adormilado contra la carga de heno parecería sin duda más pequeño de lo que era. Y le bastó con imaginar para volver a ver esos campos tan entrañables para él. En ondulados declives las praderas se abrían bajo un cielo inmenso. Los pastizales, al moverse, tomaban tonalidades azules y entonces eran como aguas transparentes o espejos de un mar soñado que llegaba sin rumor o golpeaba de pronto con su brisa. A poco seguía la llanura infinita y el cielo se alejaba hacia el confín. La quietud parecía tragarse incluso el chirrido de los ejes de la carreta y se percibía una extraña expectación desde las edades más antiguas de la tierra.

Pero el incendio comenzó súbitamente. Su cerebro tocado por la descarga ardió como el sol, como una rosa en el centro del sol. Y el mundo fue otra vez suyo y tan pronto corría por los pantanos con el pecho cerrado y sin aire, como arengaba a la multitud desde lo alto de un balcón. Todo era inmensamente real aunque simultáneo. Él mismo ardía ahora en su hoguera vociferando como un loco sobre el Millenium. Y la visión de San Brendano. Y la procesión de los bienaventurados. La vieja "Nave de Locos" volvía a su estuario con sus traficantes (*potatores et edaces*) y su estela fantástica de serpientes, áspides y sirenas. No había respiro en la acumulación. Parecía que el tiempo había sido suprimido y todo se agolpaba y se acribillaba en un centro. Oh, la mente de Dios, se dijo. No había muerte ya, sino esa fragua, esa terrible libertad de los sueños arrojando sus imágenes por todas partes. Las multitudes giraban otra vez en círculos y sus criaturas se agrupaban o atropellaban cabalgando sobre cerdos y gatos y caballos y unicornios y cabras y jabalíes. A horcajadas pasaban mujeres montadas sobre pájaros, esfinges o quimeras. Los aires se poblaban de hipogrifos y los bosques de jirafas en llamas y en las aguas los cisnes curvaban sus cuellos de culebras.

Entretanto Bettina se aburría con los rituales de la curación y hacía equilibrio para sostener un libro sobre su cabeza. Lifar disertaba para todos apoyándose en una cita: —Como ha dicho Foucault —y lo repetía con voz retumbante—, "la animalidad ha escapado de la domesticación de los valores y símbolos humanos; es ahora ella la que fascina al hombre por su desorden, su furor, su riqueza en monstruosas imposibilidades, es ella la que revela la rabia oscura, la locura infecunda que existe en el corazón de los hombres".

Sentía que entraba en el vértigo de la muerte. Pero eso no era morir, era ver, ver el futuro en el pasado, construyéndose, revolviéndose como una sierpe para sacar su día nuevo por las ventanas y merecer costosamente su fijación en el ayer. Un tránsito de acciones tumultuosas, trágicas y agresivas, pero necesarias para sostener la perpetuación de ese círculo mágico que se repetía siempre, en el sendero tortuoso de la eternidad.

Ahora estaba despierto y miraba con curiosidad sus propias manos que eran tan independientes como medusas o gruesos gusanos moviéndose por su cuerpo. Quería incorporarse pero lo atenaceaba la idea de ser una ciudad maldita, con largas hileras de crucificados muriéndose a la vista y resplandores de quemados vivos, ardiendo en los extremos de las colinas. ¿Acaso su muerte representaba el gran *sabbat* de la historia? Pensó, al acariciarse el sexo, que era como jugar con un sapo muerto. Y se puso a hacer burujones con la lengua o a mordisquearse las uñas, mucho más sabrosas ahora con los resabios de sus sudores. Los ojos se le iban hacia atrás y se mareaba. Pero el mar de su abismo interior estaba infinitamente calmo. De pronto se dio cuenta de que había sido arrojado a una prisión y que las ratas comenzaban a rodearlo.

—¿Cómo podría? —se preguntó anhelante.

Y vio (como si realmente cruzara ante sus ojos) al guerrillero que se arrastraba herido. Todo aparecía envuelto en una memoria proyectiva que no ocultaba el sentido ni el origen de cada cosa. Las montañas que ahora contemplaba y sus desfiladeros que se perfilaban llenos de asechanzas eran tan entrañables como su ser propio. En verdad (y lo sintió del modo más intenso) no eran cosas distintas o distantes, sino ideas de cosas, que podían cambiar en cualquier momento, como ese ejército enemigo que el guerrillero esperaba enfrentar él solo, emboscado en las escarpas de un farallón, y que resultó ser una enorme ballena atrapada entre las peñas, vomitando sus muertos.

ÍNDICE

IMPRESO Y HECHO EN MÉXICO
PRINTED AND MADE IN MEXICO
EN LOS TALLERES DE
EDITORIAL GALACHE, S. A.
PRIVADA DEL DR. MÁRQUEZ, 81
MÉXICO 7, D. F.
EDICIÓN DE 3000 EJEMPLARES
Y SOBRANTES PARA REPOSICIÓN
14-IX-1978

Nº 304